ISABEL, LA REINA

Ángeles de Irisarri

ISABEL, LA REINA

El tiempo de la siembra

grijalbo mondadori

Diseño de la cubierta: Luz de la Mora
© 2001, Ángeles de Irisarri
© 2001 de la presente edición para todo el mundo:
  GRIJALBO MONDADORI, S. A.
  Aragó, 385, 08013 Barcelona
  www.grijalbo.com
Primera edición: marzo de 2001
Primera reimpresión: septiembre de 2001
Reservados todos los derechos
ISBN: 84-253-3583-3
Depósito legal: B. 39.684-2001
Impreso en Cayfosa-Quebecor, S. A., Ctra. de Caldes, km 3
08130 Santa Perpètua de Mogoda (Barcelona)

Continúa aquí la historia de Isabel, la reina, y de otras tres doncellas que tuvieron a bien nacer una tarde de abril de 1451,
justo cuando asomaba en el cielo una espléndida luna roja.

De su infancia y juventud ya se discurrió, y hasta de la boda
de Isabel quedó testimonio. Que la suerte nos guíe ahora en ese
Tiempo de la siembra para que la semilla caiga en tierra fecunda.

1

Mucho se habló en Castilla, en Aragón, en las cortes europeas, en el reino moro de Granada y hasta en la lejana Constantinopla, del matrimonio de Fernando e Isabel.

Reyes y duques de ultrapuertos se hicieron cruces de la osadía de los príncipes que, declarando su rebeldía a los cuatro vientos, habíanse maridado contra la opinión del rey Enrique, su señor natural. Más de uno de aquellos parloteros se preguntó si acaso la dicha princesa fuere una nueva reencarnación de Juana de Arco, mayormente conocida como la doncella de Orleans, mujer de temple varonil que, en vez de dedicarse a oficio menestral como le hubiere correspondido por su nacimiento, tomó espada e venció a los ingleses arrojándolos de la Francia.

Cierto es que los más convinieron en que aquellas bodas no podían estar de Dios, en razón de que doña Isabel, asistida por unos pocos fieles, había vivido los últimos meses de su vida de un lugar a otro, huyendo de los que estaban por el rey, que eran multitud, y los últimos días pidió refugio en un convento de monjas de clausura. Desafiando no sólo a su soberano y hermano sino también a Dios, se había casado al fin con su primo con bula falsa y sin bendición papal, pues que Su Santidad le había negado dispensa, con lo cual, a más de vivir en el incesto, era barragana. La tercera barragana conocida del dicho Fernando, que, según se contaba, se la había llevado a la cama sin dilación, pues que el mozo tenía el miembro inquieto.

Los nobles de Aragón hacían oídos sordos a lo del incesto y sus consecuencias, e se demandaban si la princesa se habría holgado con el collar de rubíes que con tanto esfuerzo habían conseguido rescatar a buen precio de las arcas de los jurados de la ciudad de Valencia, alegrándose también del ardimiento que el rey de Sicilia y príncipe de Aragón mostraba en el lecho conyugal, y auspiciándole presto la concepción de un heredero varón.

Los señores de Castilla que estaban con los recién casados sostenían con vehemencia que Dios había estado en aquellas bodas y que se habían celebrado con su licencia y bendición, en virtud de que el Todopoderoso se antepone a veces a los dictados de los hombres en pro de la consecución de un bien común, como en este caso, pues demostrado estaba que doña Isabel sería una excelente reina al fin de los días de don Enrique.

Sin embargo, los que estaban con la Beltraneja se disgustaron harto de la celebración del matrimonio e actuaron de inmediato, tratando de acelerar las bodas de doña Juana con el rey de Portugal, a la par que buscaban otras alianzas para maridarla con el príncipe heredero de Francia o de Inglaterra, en caso de que por ce o por be no llegara a feliz término el acuerdo con el lusitano.

Los vecinos de Valladolid —a pesar de los pavores sufridos mientras Isabel estuvo oculta en las Huelgas, pues temían que los ejércitos de don Enrique se presentaran y cercaran la ciudad en cualquier momento— participaron en los juegos que celebró el concejo durante ocho días con el mejor ánimo, e comieron e disfrutaron harto.

Las gentes de las otras villas y ciudades del reino no supieron qué hacer, si mostrar contento o descontento; las más se mantuvieron en silencio y no enviaron regalos a los felices novios, a la espera de la reacción del señor rey.

Los pobladores de Dueñas recibieron a los esposos con grandes manifestaciones de júbilo, que incluso fueran a más cuando don Gonzalo Chacón, mayordomo mayor de la princesa, al día siguiente de las bodas mostró la sábana nupcial manchada de sangre, eso sí, hecha un rebujo, con lo cual no vieron nada, pero el oficial lo hizo adrede, en connivencia con su esposa que le aconsejó bien, no fuera el hecho a alterar la razón de la princesa, que andaba azarada, como le había sucedido a su señora madre por causa semeja:

—Pese a que las gentes quieran ver, no enseñéis la sábana, marido; recordad que la reina doña Isabel se alunó porque la vieron parir demasiadas personas y era mujer púdica.

—Púdica en exceso, pero ya traía rarezas, esposa mía.

—No juzguéis tan a la ligera, don Gonzalo, que a saber qué me hubiera sucedido a mí de haber hombres contemplando y levantando acta de mis partos…

—Haré lo que pueda, doña Clara.

En Granada el rey de aquellos países torció el gesto, y en Constantinopla el soldán hizo otro tanto cuando fue enterado por sus visires del matrimonio de aquellos dos príncipes levantiscos, tal se dijo.

Y eso, hubo sus más y sus menos en ambos confines del Mediterráneo. E se habló y se habló hasta la saciedad de la bondad, de la oportunidad, de la inoportunidad del hecho, de la paciencia, de la impaciencia de los novios e, ítem más, de don Enrique, el único que guardaba silencio sobre aquel negocio en el reino todo. Y, en otro orden de cosas, mucho se dijo del manto que lució don Fernando, al parecer bordado por su madre la reina doña Juana Enríquez durante el largo asedio que había padecido de sus propios súbditos cuando estuvo sitiada en la fortaleza de Gerona con su hijo niño, y del traje de doña Isabel, un magnífico brial de brocado de plata y oro. Se comentó además que la doncella había llevado pintadas las cejas y perfilada la raya de los ojos con tintura de azafrán, sin necesitar rojete en las mejillas, pues ya traía mucho arrebol del contento, del miedo, del susto o de lo que llevare en su corazón, resultando muy bella… Y eso, se habló y se habló bien y mal, pues que nunca llueve a gusto de todos.

En las casas de los nobles que estuvieron presentes y muy agobiados en las bodas principescas, ni hombre ni mujer pronunció una palabra admirativa referente al «milagro» que había sucedido en el palacio de Vivero a la vista de todos, merced al cual la princesa había conseguido subir los peldaños de la escalera principal de la casa y acceder a la sala rica para matrimoniar, no obstante el inmenso gentío que había. Sólo Isabel, que sufrió más que cualquiera otra persona las apreturas de la concurrencia, comentó luego con su esposo que los ángeles, dejando libre un corredor de media vara de ancho, es decir, exiguo pero suficiente para que lo recorriera, le habían abierto paso hacia su felicidad.

Tanto o más que de la ceremonia, antecedentes y posibles consecuentes de los esponsales, en las casas nobiliarias se platicó largo de las dos marquesas de Alta Iglesia, las más de las veces con el corazón sobrecogido. Pues, aunque condes, duques y marqueses habían tenido ya ocasión de verlas postradas ante el rey Enrique y la princesa Isabel en la concordia de los Toros de Guisando, resultó que al estar con ellas hombro con hombro durante la boda, las contemplaron de otro modo porque no en vano unos y otros habían recibido cartas del señor obispo de Ávila pidiendo razón de mozos casaderos para maridarlos con ellas. Por eso se fijaron mucho más en las gemelas, las observaron con detenimiento y luego comentaron reunidas las familias a la hora de comer o cenar:

—Les arrancó un perro las manos a poco de nacer…

—La partera y las criadas, que asistieron a doña Leonor de Fonseca en su parto, debieron ser ahorcadas en la plaza pública…

—¡Por negligentes!

—¡Las niñas vinieron malditas!

–¿Por algún pecado antiguo?

–¡Sí!

–¡No hubo perro, quiá!

–¿Cómo que no?

–No. No se deja entrar a un can donde va a alumbrar una marquesa…

–Tal vez Satanás lo enviara…

Si hicieron tales comentarios fue porque tenían aviso de que la bisabuela de las doncellas les buscaba marido y, aunque nadie viera apenas nada en aquellas apreturas, Dios bendiga el matrimonio de los señores príncipes, los nobles de Castilla imaginaron el brazo manco de las marquesitas y hasta la rojez que llevaban cinco dedos arriba del lugar donde se asienta la muñeca, producida, según dicho que andaba de boca en boca, por un perro que de una mordida les había arrancado las manos de cuajo y se las había comido. Que no pudo ser de otro modo, pues que, según decires, nacieron con los brazos sangrantes y las extremidades no aparecieron, pese a que las parteras buscaron tanto en el vientre de la desdichada madre, que falleció del disgusto a las pocas horas de alumbrar, como por la casa toda, donde los sirvientes miraron hasta en las letrinas. Y, aunque ver vieron poco, imaginar fue suficiente pues se adujeron lo que cualquier persona con dos dedos de seso hubiera dicho ante un hecho semejante: que aquello era negocio del diablo.

Y lo fuera o no lo fuera, los títulos de Castilla respondieron uno a uno al señor obispo de Ávila que, lamentándolo, no tenían mozos en edad casadera ni sin comprometer, aunque los tuvieren, rechazando los muchos millones de maravedís que componían la hacienda de las doncellas y desechando el negocio, por lo del diablo. Y eso pese a que feas no eran, pese a que la más menuda, de nombre Juana, tenía unos ojos muy parleros y hermosos que miraban el mundo con grande inocencia y candor, y la otra, llamada Leonor, la grandota, aun sin ser bella, tenía buen aire y agradable sonrisa.

13

Tal vez lo quiso el Señor de ese modo, porque una familia tras otra: los Enríquez, Mendoza, Manrique, Haro, Medinasidonia, Pimentel, Stúñiga, etcétera, fueron respondiendo que no a las proposiciones del clérigo que actuaba por cuenta de la bisabuela de las doncellas, una dama de nombre doña Gracia, desconocida para casi todos, de oscuro pasado quizá, pues había residido la mayor parte de su vida en la ciudad italiana de Milán. Tras fallecer su primer marido don Pedro, que había servido fielmente de embajador en aquellas latitudes al rey don Enrique, el Doliente, y luego al rey don Juan, la viuda no había regresado a Castilla a profesar en un convento para llorar a su esposo muerto, sino que habíase casado en segundas nupcias con un capitán lombardo condotiero por más señas, y con él había holgado más de veinte años, al parecer, porque todo se sabía según decires o maldecires…

Por eso se habló y se habló de las marquesitas, las más de las veces con el corazón sobrecogido por la manquedad de las muchachas, que bastante desgracia era y, vive Dios, porque seguramente sus padres o sus abuelos o la bisabuela, mejor esta última, habrían cometido algún pecado grave a lo largo de sus vidas, yerro que, sin duda, clamaba penitencia y afloraba para ser debidamente purgado en las infortunadas doncellas.

De la que nada se dijo entre tantos y tantos decires, suposiciones, imaginaciones, posibilidades y juicios de valor, fue de María de Abando. La persona que más hizo en este mundo para que se pudiera hablar del matrimonio de los príncipes en ambas orillas del Mediterráneo. La que apartó con sus grandes magias a las muchas gentes que llenaban la escalera, la casa y la huerta de Vivero para que pasara doña Isabel sin apreturas. La misma que regresó a Ávila en el cortejo de la abadesa de Santa Ana después de las bodas. La misma que volvió a la ermita del Santo Cristo de la Luz, alborozada, ufana de sus artes, pues de no haber sido por ella los reyes de Sicilia y serenísimos príncipes de Castilla no se hubieran maridado, al menos aquel día, y buen día era, porque las estrellas brillaban repartiendo felicidades sobre la villa de Valladolid.

La moza, aunque no podía compartir con persona alguna su alegría, pues hubiera sido descubrirse bruja y no era cuestión de echar semejante oficio a los vientos, al llegar a la ermita del Cristo de la Luz, su casa, tuvo tiempo de pensar y se apesaró un tantico, pues jamás sus altezas sabrían lo que había hecho por ellos y, de consecuente, nunca se lo podrían agradecer ni pagar. No obstante, se contentaba diciéndose que había hecho caridad con sus señorías, caridad, lo que le instaba a hacer la hermana Miguela, su protectora.

Y de día andaba muy satisfecha, pero por la noche no tanto, y se amohinaba cuando hablaba con el Mingo que, sin faltar una jornada, iba a visitarla entre las nueve y las diez. Para no caer en hablas de amores, la mujer sacaba a colación el encuentro que habían tenido con el diablo en una venta en el rabal del castillo de Simancas. Ella dentro de la ermita con la tranca echada, él fuera, al sereno. Ella recriminándole que la hubiera abandonado en aquel trance:

—Te largaste, Mingo, me abandonaste a mi suerte...

—¿Te hizo daño el tipo aquel?

—¡No!

—¿Te violentó, te habló?

—¡No!

—¡No era el diablo, era un loco!

—Los locos están recluidos en las cárceles, no sueltos por los caminos...

—¡Hasta que los encierran, están libres!

—No pretendas arreglarlo, siquiera me diste la mano para que me fuera contigo...

—¡Calla, diantre!

Y el Mingo se enfuriaba, gritaba, juraba...

—¡Vete, que no estamos hechos el uno para el otro!

Y el Mingo se iba.

Entonces María extendía el colchoncillo a los pies del Santo Cristo, se arrebujaba en la manta e se dormía hasta el día siguiente para despertarse con las voces de la hermana Miguela, que le llevaba un cuenquillo de leche caliente:

—¡Ea, ea, levántate, María, e reza tus oraciones!

—¿Ha descansado bien su merced?

—Yo bien, gracias a Dios. Y tú, ¿qué haces, en qué trabajas? ¿Todavía andas con las ratas de los Torralba?

—¡Sí, señora!

—¿Hay plaga?

—Hay muchas… Cierras la puerta de una estancia, guardas silencio y se escucha correr a dos o tres… A diario lleno cuatro ratoneras…

—Se las habrá mandado Dios en justo castigo, se dice que siguen siendo judíos… ¿Tú has visto algo?

—No.

—¿Encienden el fogón los sábados?

—¡No sé, hermana!

Y no lo sabía, pero a partir de la conversación, María se propuso prestar atención a lo que hacían los Torralba los sábados, nada más fuera para poder responder a la monja que parecía interesada en aquel asunto tan baladí de que humearan o no humearan las chimeneas de una casa en sábado.

2

Durante los primeros días de casada, doña Isabel, la serenísima princesa de Asturias, larga vida le dé Dios, anduvo arrobada, no sólo de felicidad por haber maridado y cumplido uno de los requisitos primordiales para sentarse en el trono de Castilla al final de los días de su hermanastro, sino por haber yacido con su esposo, que la tomó como mujer nada más llegar a Dueñas, a casa del conde de Buendía, pues que necesitó el mozo, después de tantos peligros sufridos, desahogar el ardor juvenil que acumulaba en sus partes de varón. Rápido, rápido, sin permitirle a su esposa que se bañara y se acicalara para la ocasión, sin dejarle probar bocado.

Al día siguiente era para Isabel como si su rostro pregonara que había yacido con su esposo e le venía arrebol a las mejillas... Se le hacía que del conde a la fregona todo el mundo la miraba en aquella casa, y no sólo por ser princesa, pues que las princesas, aunque no sean bellas, son miradas más que las demás mujeres, y claro, le venía rubor.

Doña Clara le decía que la gente se mira entre sí por razones de proximidad. Que todas las mujeres casadas se habían dejado hacer lo mismo que ella. Que todos los hombres casados habían hecho otro tanto que su marido. E, para distraerla, la instaba a

17

buscar en unos baúles los regalos que le trajeran los embajadores de Francia y Portugal para devolverlos, ya que no había matrimoniado con los pretendientes de aquellos países. E la escuchaba atentamente cuantas veces la princesa le hablaba de los ángeles que le hicieron hueco en la escalera del palacio de Vivero. E, como si fuera todavía una niña, le tenía las manos.

Entraba Chacón en el aposento e Isabel se ponía más roja de cara, e entraba Cabrera o el conde de Buendía y otro tanto. E doña Clara le humedecía la cara con un paño mojado en agua de rosas para aliviarle el sofoco, pero ella no tenía prisa por responder a las llamadas de sus mayordomos que le recordaban que, junto a su esposo, debía escribir al rey para ponerle al corriente de la celebración y consumación de su matrimonio. Se demoraba, pues le daba vergüenza abandonar la habitación y que la vieran otras gentes. E ya Chacón y Cabrera le hablaban del rey don Juan, de su señor padre, que a falta de heredero de Enrique, había dejado sucesor a Alfonso y a falta de Alfonso, a ella. E doña Isabel les preguntaba si tanta prisa corría, e los otros respondían que sí, que sí. E hubo de presentarse Fernando a buscarla, tras reunir a ciertos nobles, e decirle:

—Señora mía, venid conmigo a escribir a don Enrique, nuestro hermano, pues que estamos en casa ajena, dormimos en cama que no nos pertenece y comemos lo que nos dan las buenas gentes que nos cobijan poniendo en peligro su vida.

Y, como lo que sostenía su marido era cierto a más de claro, Isabel se personó en el gran salón de la casa con rubor en las mejillas, pero con la mente despejada.

Y comenzó don Gonzalo a dictar al escribano carta para don Enrique:

Al muy alto y muy esclarecido Príncipe Rey nuestro señor:
Por mis letras y mesageros comuniqué a vuestra Alteza mi voluntad de casarme con el Rey de Sicilia y Príncipe de Ara-

gón, otrosí notifiqué su feliz llegada a estos reinos de Castilla, que vuestra señoría tiene y tenga por muchos años. Hago saber a vuestra Alteza que somos venidos a la villa de Dueñas casados e que Dios ha permitido la consumación del matrimonio, e que los dos, el Rey de Sicilia e yo, remitimos embajadores a vos, nuestro padre y señor, para nos recibáis como obedientes hijos y nos enviéis vuestra bendición a no tardar, para no dar lugar a otros nuevos escándalos en estos reinos, que es dolor de ver en ellos más trabajos y fatigas de los pasados. Yo el Príncipe. Yo la Princesa.

Cierto que se discutió y hasta se porfió al redactar la carta:

—Para una buena redacción es menester utilizar el singular o el plural, no los dos a la vez —sostenía la princesa.

—¡Eso son minucias, hija mía! —aseveraba el arzobispo.

—Don Enrique no es nuestro padre —intervenía Fernando.

—Llamar padre a don Enrique, cuando es manifiesto que es incapaz de engendrar, puede ser considerado sarcasmo —atajaba don Gonzalo.

—La gente que lo rodea espera cualquier excusa para cizañar contra nosotros…

—La palabra «padre» indica respeto y carece de connotaciones negativas… Al mismo Dios se le llama «padre»…

—¡Sí, pero llamar padre a uno que no puede serlo…!

—¡Ea, déjense sus altezas de memeces! ¡El protocolo es el protocolo! ¡Las cosas deben ser así…!

El arzobispo Carrillo alzaba la voz, sosteniendo que el señor rey no había prohibido la celebración del matrimonio y asegurando que con su silencio lo había consentido, e insistía en llamarlo padre. Fernando lo miraba a los ojos como queriendo acallarlo, pero el otro, que era vocero, perseveraba y ofrecía mil lanzas a los príncipes. Y ellos las desechaban, alegando que era una provocación armar tantos hombres cuando no deseaban enfrentarse a nadie. Entonces el clérigo les hablaba de Villena y sus maquinaciones, y de que deberían estar alerta y guardar sus personas de los muchos peligros que les acechaban por doquiera. Fernando pretendía consultar a su padre, el rey don Juan. El arzobispo deseaba despachar cuanto antes la carta al rey y copias para los señores y ciudades de Castilla. Y hasta discutieron por la firma, por si firmar como Reyes de Sicilia o Príncipes, y eso que se acaloraban todos. Fernando hubiera querido poner coto a ese clérigo, al hombre más poderoso de Castilla, pero Chacón le aconsejaba que tuviera paciencia con él y le recordaba que en muchos momentos pasados había sido la única persona en el reino que estuvo por su matrimonio.

Fernando se lamentaba de no tener un maravedí y decía de pedirle a su señor padre, a sabiendas de que tampoco tenía un cuarto. Para remediar tanto problema, se iba de caza o jugaba a tablas con sus secretarios, o llamaba a su esposa a la cama o la invitaba a salir a cabalgar. Entonces, cuando recorrían los campos de Castilla, hablaba con ella de contratar a un maestro para que fabricara cañones en vez de lanzas y espadas en su herrería, para luchar contra los nobles que se decantaban otra vez por la legitimidad de la Beltraneja, y contra quien preciso fuere, pues que, visto el decurso de los acontecimientos, tarde o temprano, sería menester combatir. Y le explicaba:

—Los condotieros italianos batallan por una república o por otra con armas de fuego en vez de con lanzas. Con cañones, es decir, con gruesos tubos de hierro que arrojan esferas de hierro también, impelidas por una explosión producida por pólvora…

—Sé de la pólvora, Fernando. Es un invento que se usó en la toma de Tarifa por el rey Alfonso X, llamado el Sabio, hace más de dos siglos.

—Los turcos la utilizaron como arma principal en la toma de Constantinopla. En Italia también se usa, los condotieros ponen cerco a las ciudades desplegando su artillería, y si los sitiados no se rinden a la primera la emprenden a cañonazos, abriendo rápidamente huecos en la muralla por donde entra la infantería…

Y le contaba con entusiasmo las muchas hazañas del Colleone, de Francisco Sforza y de Beppo de Arannola, sobre todo las de este último, en razón de que en una batalla, dicha de Anghiari, sólo hubo que lamentar una baja, la de un hombre que fue derribado por su caballo y, mala suerte, se desnucó.

La princesa prestaba a don Fernando mucha atención, y le pedía a Chacón dineros para encargarle a algún maestro herrero la hechura de varias lombardas, es decir, los cañones que hubiera querido tener su marido, para regalárselos en su próximo cumpleaños.

Cierto que antes le hizo otro obsequio, pues un día, después de desayunar, se sintió indispuesta e vomitó, precisamente al enterarse de que su hermano, el rey, le había arrebatado a su señora madre la villa de Arévalo para dársela a otro, a un duque. Y como la buena noticia fue muy grande y la mala, lo del despojo de la reina viuda, se podría remediar en el futuro, cundió la alegría en la casa del conde de Buendía y en la población de Dueñas, pues corrió que la princesa estaba empreñada, Dios le dé salud y la bendiga.

Doña Gracia Téllez, la bisabuela de las dos marquesas mancas de Alta Iglesia, tras leer y releer la carta que había recibido del obispo de Ávila comunicándole que en las casas nobles de Castilla no había mozo ni viudo por maridar, optó por tomar otro camino.

Pensó en volver a enviar a Catalina, la cocinera, a la ermita del Santo Cristo de la Luz para que, a cambio de un caballo, ajustara a una dicha María de Abando, que era santa, bruja, ensalmadora o alcahueta, con la idea de que le hiciera servicio indagando qué clase de gente componía la familia Torralba.

De no llevar sus negocios tan en secreto, de haberle preguntado a la cocinera, hubiera escuchado de sus labios lo que era conocido de antiguo en toda la ciudad. Que los dichos Torralba eran conversos, es decir, cristianos nuevos. Que el padre de Andrés y Martín Gil de Torralba —los pretendidos novios, los jóvenes que la habían saludado en la catedral el día que fue a contemplar el altarfino que había mandado alzar para su enterramiento— había sido un tal Ibrahim Abenamar, llamado Pedro Gil de Torralba después de recibir el santo bautismo, de oficio contador del rey. Hubiera escuchado eso y más, pues que las familias eran vecinas, y la conversación con la Catalina, dada la inquina que mostraba la cocinera contra los hijos de Abraham, hubiera podido desarrollarse más o menos deste tenor:

—Los Torralba, mi señora, son conversos, lo dice todo el mundo, e no son de fiar...

—¿Por qué? Catalina, cuando una persona se convierte de una fe a otra, abandona la anterior...

—¡Ah, no, señora, no!

—¿Cómo que no?

—Yo no sé... Tengo para mí que si una madre pierde un hijo sufre hasta el desvarío y entiendo que si a una persona le quitan a Dios ha de...

—¡Dios no es lo mismo que un hijo! ¡No es comparable!

—Yo...

—Oye, Catalina... los mozos son hermanos, solteros y gallardos los dos...

—¡Señora, son cristianos nuevos!

—¿Y qué?

—Que los cristianos viejos no casan con los nuevos...

—¿Es que Dios lo ve mal? ¿No son ovejas llegadas a su redil y Él es el Buen Pastor?

—Dios no lo sé, señoría, pero fray Tomás de Torquemada y otros predicadores lo ven mal, francamente mal... Arremeten contra los judíos en sus sermones...

—¿Por qué?

—Porque se convierten a la fuerza, lo hacen para hacerse querer de las vecindades...

—Pero puede ser que estos Torralba se hayan convertido de corazón…

—¡Quiá, a Dios no se le puede sustituir!

—¡Calla, maldita sea, Catalina! ¡No sé cómo te dejo hablar! ¡No tienes vela en este entierro! ¡Ah, mucho silencio con mis nietas o te mandaré azotar!

Tal hubiera amenazado la dama muy airada de haberse producido la conversación que antecede, a más, como si hubiera en la casa alguien que pudiera azotar a una criada.

Y de haber sido consultada por su ama y de no haberse encontrado con hechos consumados, la cocinera hubiera tratado de convencer a sus dos niñas para que se negaran a semejante matrimonio y nunca maridaran con conversos por lo que pudiere suceder. Los judíos convertidos, aunque fueran a misa el domingo y comulgaran por Pascua Florida, estaba en boca de todos que continuaban manteniendo y practicando en sus casas, de tapado, la religión hebrea, precisamente la que había venido a cambiar el Señor Jesucristo, que murió en la cruz para la salvación del mundo, después de larga agonía.

E aunque hubiera podido la criada subir varios sábados seguidos a la azotea, mirar hacia la plaza de la Fruta y constatar que humeaban las chimeneas de los Torralba y, de consecuente, que en aquella casa guisaban como cualquier otro día, como las familias cristianas, le hubiera dado lo mismo porque para evitar aquellas bodas hubiera sido capaz de hacer una barbaridad, Dios la perdone.

Pese al disgusto que le produjo la carta del señor obispo, la dama casamentera había echado ya sus cuentas y todos los días a la caída de la tarde se asomaba a la ventana del gran comedor a ver pasar a los mozos Torralba, a los tales Andrés y Martín, que cabalgaban muy erguidos en sus monturas y la saludaban quitándose el sombrero para ponérselo presto con gracioso ademán. E, contemplándolos, se decía que, aunque procedieran de estirpe judía, al haber sido bautizados al nacer, habían recibido mil bendiciones de Dios, como quedaba más que patente pues que tenían muy buen aire y galanía, y eran mismamente dos caballeros. Además, un domingo se había encontrado a la viuda Torralba en la iglesia de San Juan, oyendo misa, y la examinó de los pies a la cabeza por ver cómo se santiguaba, cómo se arrodillaba y si comulgaba con devoción y, viéndola, desechó cualquier temor. Y se extendía en su argumentación aduciéndose que, como sólo había un Dios, el suyo, el de Catalina y el de fray Tomás de Torquemada, dijeran lo que dijeran en contra de las familias conversas, a los mozos sólo los había podido bendecir Él. Además, quitaba importancia al hecho de venir al mundo en una familia u otra, máxime porque el nacido no puede elegir, como quedaba más que manifiesto en sus dos bisnietas que, de haber podido, hubieran nacido con las dos manos, por no poner otros ejemplos.

Tal se decía la señora haciendo de tripas corazón, porque una cosa era lo que hablara o no hablara con Catalina y otra el resquemor general que existía en el reino contra los hebreos, al que no permanecía ajena, pero como no podía elegir hubo de conformarse, quiá, conformarse, ceder. Cedió con que los muchachos fueran descendientes de judíos y no fueran mayorazgos ninguno de los dos y puso en marcha el negocio de las bodas diciéndose que a ella los hebreos no le habían hecho nada malo, que cuando necesitó dineros se los prestaron y cuando no los precisó se los guardaron, y aun temiendo la reacción de sus bisnietas se decidió a contratar a María de Abando.

Así que un día en el que andaba la cocinera en su aposento con un matamoscas en la mano persiguiendo un avispón, se animó y dijo:

—Mañana irás a contratar a la Niña del Cristo de la Luz, ofreciéndole un caballo a cambio de sus oficios… Es mucho, pero bien empleado estará… Me he propuesto casar a Leonor y a Juana antes de marcharme de este mundo… Quiero que venga el próximo domingo a la puerta grande de la catedral, después de misa de diez, para que eche ensalmo a mis nietas, si es menester, y dejen de buscar el cofre del rey moro y presten atención a su futuro, a sus bodas...

—Hace bien la señora, pues mejor han de estar maridadas... Voto a Dios porque sean felices e alumbren e críen muchos hijos... Tenga en cuenta su merced que Juana es más pánfila que Leonor y se deja engañar más fácilmente... Lo digo porque cuando encuentre su señoría a los dos hermanos, la case con el menos impetuoso...

—Ha sido pena que no hubiera en las grandes casas de Castilla dos hermanos solteros ni viudos, ni uno viudo y otro soltero... Que estén todos comprometidos...

—¿E quiénes son los pretendientes?

—Dos caballeros...

—¿Cómo se llaman?

—Lo sabrás a su debido tiempo...

—Lo pregunto por si puedo ayudar...

—No, no puedes ayudar... Si contrato a esa alcahueta es para que quite de la cabeza a mis nietas lo del tesoro... E como he de pagarle mucho, quiero que se lo gane ella.

Un día de principio de primavera que más parecía invierno en Ávila, María de Abando, tras atender a su clientela y partir sus ganancias con la abadesa de Santa Ana —partir a su manera, pues de diez dejaba tres en la portería del convento y casi siempre en especie, en razón de que los dineros se los guardaba en saquetes debajo de la saya—, encaminóse a la ciudad a almorzar, a tomar un cuenco de sopa y un buen guiso de cordero con abundante pan en la taberna de Petra Aldana, con la que había hecho cierta amistad, pues que de tiempo atrás los lunes se presentaba en la ermita a que le leyera las rayas de la mano. E saludóla la mesonera:

—A los buenos días, María.

—Con Dios, Petra. Sírveme una sopa con tostones fritos y mojicones de tocino, una buena ración de ese guiso que humea en el fogón, un jarrico de vino recio e una hogaza de pan…

—He abierto un tonel y ha salido muy buen vino; ten, cátalo…

—¡Está rico…!

—Ha venido a preguntar por ti una mujer que no es de por aquí…

—¿Por mí? ¿Quién será? Todo el mundo sabe dónde estoy.

—Lo que me dijiste el lunes, me ha ido bien… Llevo echando el conjuro tres días seguidos y hoy me ha mirado…

—¿Ha venido el señor Francisco y te ha mirado? ¿Lo ves?

—Yo no me lo creía, pero sí… Me ha mirado… Es más, no me ha quitado los ojos de encima…

—¿Te atravesaba con la mirada?

—¡Se me comía!

—¡Albricias, hija!

—Si me pide que me case, me caso, que llevo cinco años viuda…

—Si necesitas que hable con él me lo dices; le puedo contar lo bien que cocinas, Petra… Que haces el lechón asado como nadie en esta ciudad, niña…

—Oye, María, ¿crees que todavía tengo buen aire?

—Pareces mismamente una moza… Oye, la mujer que ha venido, ¿qué quería?

—No lo sé. He intentado preguntarle, ya sabes, para pasar el rato, pero hablaba poco y no era de por aquí.

—Bueno, pues ya veremos…

—Enferma no estaba, quiá.

—El señor Francisco es el zapatero del camino al Juradero, ¿no? Tengo para mí que tiene dinero ahorrado y que harás buena boda…

—Yo también tengo lo mío… Lo malo es que tiene cuatro

hijos mayores y, ya sabes, los hijos de otra aceptan de mala gana que los padres se vuelvan a casar y tratan de malquistar entre los esposos.

–No todos, no todos… Tú te los traes a la taberna, les das de comer y de beber en abundancia y besarán el suelo que pisas…

–¿Tú crees?

–Yo te lo digo, niña, con esas manos que Dios te ha dado aderezando guisos… Para asegurar más el amor del señor Francisco puedo darte unas migajillas que llevo en mi faltriquera, lo que me queda de un pan que me trajo la sacristana del cura de San Segundo, que son muy benéficas… Las llevas a su ventana a la noche cuando esté ya dormido, y verás… Si se las comen los pájaros, no te duela que le hablen de amor con sus trinos.

–¡Ea, tráelas, e guárdate el dinero! ¡Que hoy te sale de balde!

–A Dios, Petra, gracias…

–¡Déjate caer más a menudo por aquí!

María abandonó la taberna con el estómago lleno y bastante achispada. Iba hablando sola por la calle, riendo de la necedad de las gentes, diciéndose que, aunque había hecho la gran magia de los príncipes, como llevaba varios meses ocupándose en cosas menudas, pronto olvidaría los encantos y conjuros que oyera a sus madres. Pues se limitaba a echar las suertes, a vivir de lo fácil, o lo que es lo mismo, del cuento, en razón de que oyendo a la mesonera se le había ocurrido lo de las migas de pan y, mira, el yantar le había salido gratis. Vivía de vender picardías en vez de hacer arte, en vez de tornar a su sitio un hueso dislocado o entablillar uno roto, o sanar la orina podrida o desatrofiar las venas mesentéricas, o aconsejar una esmeralda en vez de una piedra yemení de talismán, o adivinar el porvenir en agua clara, o llamar a la Dama de Amboto o conjurar a los demonios o rezar al Señor Dios, o, o, o… Y ya fuera por el vino o porque, de súbito, le había venido tristeza, movía la cabeza y rezongaba que ya no era bruja y hubiera podido llorar porque las gentes que le iban siquiera la llamaban «santa», el título que le dieron al llegar a la ciudad...

En ésas estaba, llegando a su casa, sin discurrir ya, fatigada por la mucha pendiente, cuando escuchó una voz a sus espaldas:

—¡Eh! ¿Eres María de Abando?

—¡Sí, yo soy! Por un lechón, contrahago virgos; por una manta, curo los lobanillos; por una gallina...

—Y por un nido de cuervos, ¿qué haces?

—¡Llamo al diablo! ¿Qué es esto, pardiez? ¿Qué deseas de esta pecadora que sirve a Dios como la última de sus siervos a la espera de alcanzar un lugar en el Cielo? —preguntó a aquella desconocida dejando de gallear brujerías, pues que no sabía quién tenía delante.

—¿Qué hace una bruja viviendo entre monjas? ¿Qué hace una bruja mentando a Dios?

—¡Oye, quien seas, que te hago un encanto que...!

—¡Bueno, escucha, te voy a decir a qué he venido!

—¡Dilo presto y lárgate con viento fresco!

—Te traigo la mitad de la herencia de María de Ataún... Vengo caminando desde Bilbao...

—¿Ha fallecido la señora María, la mejor sortiña de la ría del Nervión?

—¡Sí! Te dejó este talego y me ordenó antes de morir que te lo trajera... He andado casi quinientas millas y estoy asaz cansada...

—¿Qué se cuenta por Bilbao? Yo nací allí e recuerdo con gusto...

—¡Nada!

—¿Llueve?

—Llueve, se aleja el nublado y luce el sol...

—¿Estás enojada? ¿Tengo yo algo que ver? No te conozco, no he hecho nada para conocerte, no quiero saber de ti... ¡Llévate lo que has traído enhorabuena, o...!

—¡Si no escuchas lo que he venido a decirte o si haces algo contra mí, me defenderé y haré mayores magias que tú, que yo también soy sortiña y la más aprovechada discípula de María de Ataún!

—Oye, me quieres asustar… Yo no te he hecho nada, siquiera deseo hablar contigo… Tente, pues, y di lo que hayas de decir con buenos modales…

—Te dejó mi maestra este talego… No lo he abierto porque me lo prohibió… No sé qué contiene…

—De acuerdo, lo recibo…

—¿Es que no vas a abrirlo?

—¡No! Lo haré cuando esté sola… Ve con Dios…

—¡A Dios, quizá volvamos a vernos!

¡Ah!, hubiera podido gritar María de Abando después de porfiar con aquella bruja, ¡ah!, que hubo de controlarse para no convertirla en sapo, ¡a qué aquellos malos genios…! Ella nada tenía que ver, hacía años que no se acordaba de la bruja de Portugalete… ¡E la mujer pidiéndole que abriera el morral cuando había salido mal de la casa de María de Ataún, que era mujer capaz de pudrir los trigos en unas horas, de quemar los hayedos en una noche y de hacer grandes maldades!

3

El primer día de octubre del año del Señor de 1470, la princesa Isabel trajo al mundo en la villa de Dueñas una niña que sería bautizada con su mismo nombre. Delante de su esposo, del arzobispo de Toledo, del conde de Buendía y su mujer, de tres notarios, un escribano, varios caballeros y damas, entre ellos Gonzalo Chacón y doña Clara Alvarnáez, a más de dos vecinos, y fue asistida por dos experimentadas matronas.

No hubo que lamentar insanias de ningún género en la actitud de la princesa que, aconsejada por su madrina, se tapó la cara con un paño y no vio nada. Es decir, que no contempló con sus ojos a la multitud de hombres y mujeres que llenaban su aposento, y tampoco oyó nada pues los asistentes guardaron respetuoso silencio. Amén de que, como venía avisada de los dolores, sangres y hasta de las menudencias del parto, no se asustó y soportó el padecimiento con resignación. Además, como el acto fue breve y la niña vino entera con lo que es común al hombre y con lo que es privativo de la mujer, aunque hubiera preferido un varón por garantizar su propia sucesión, se holgó.

Pero resultó que el marqués de Villena venía trapaceando en el reino de tiempo atrás, tratando de atraerse a las grandes familias y, dueño del ánimo del rey Enrique –que tenía poca voluntad de por sí, como es dicho–, daba y daba lo que no era suyo. Otorgaba grandes mercedes, ducados, condados y muchos dineros, en detrimento de las rentas de la Corona, con lo cual los grandes le debían favores, los Mendoza entre otros. E con sus maquinaciones había conseguido que éstos le entregaran a dos rehenes de prosapia que tenían: a la reina Juana y a su hija.

E, claro, los partidarios de Isabel flaqueaban, pues hasta el rey don Juan de Aragón, extralimitándose a espaldas de sus hijos, los señores príncipes, había propuesto al dicho marqués que el hijo que pariera su nuera, es decir, doña Isabel, casara con la pequeña Juana, comúnmente conocida como la Beltraneja, concediendo a la par que Fernando e Isabel renunciaran a sus derechos sobre la corona de Castilla. E fue que el de Villena se negó a tal matrimonio, y que Isabel tuvo una hija, que nunca podría maridar con la dicha infanta… E fue que el marqués de los mil diablos además tuvo que enfrentarse con don Pedro, el amante de la reina Juana, que no era villano como se creyó en un principio sino persona de linaje. Éste no le quiso entregar a la dama, pero se la arrebataron los Mendoza en un hecho de armas, la mantuvieron de rehén y la trocaron con el privado a cambio de la tierra conocida como el Infantado. Otrosí fue que el marqués había concertado con el rey Enrique reconocer a la hija de la reina, a la Beltraneja, como primera heredera, en detrimento de su hermana Isabel en razón de que ésta, casándose sin su permiso, había desobedecido.

Por todo ello, el soberano se juntó con unos nobles en Valdelozoya el día 20 de octubre de 1470 y dijo, desdiciéndose de lo que afirmara en la concordia de los Toros de Guisando, que doña Juana era hija suya. E la reina afirmó otro tanto y más, pues juró que era suya y de él, e ambos se amigaron ante la estupefacción de presentes y ausentes, pues que la dama era mujer de contentamiento. Y, tras asonar trompetas, se libraron cartas y se convino en la boda de la nueva sucesora, que tenía ocho años de edad, con el duque de Guyena, que ya fuera preten-

31

diente de Isabel, y no se pidió a las Cortes que proclamaran a la nueva heredera, como si no existieran, como si el rey fuera señor absoluto de los sus reinos.

Una de las cartas expedidas en Valdelozoya llegó a Dueñas dos días más tarde y fue clavada en la puerta de la iglesia para que se enterara la vecindad de su contenido. Y, vive Dios, la princesa, recién parida, al conocer la noticia llevóse un disgusto de muerte, incluso tuvo una subida de leche cuando ya se le retiraba, e ahogos. Los mismos que padecieron el príncipe y la gente de la casa, pues que nadie se lo esperaba y, unos con más angustia, otros con menos, unos disimulándola mejor, otros peor, se tuvieron que tragar la ira que llevaban dentro de sus corazones y, tras encomendarse al Creador, esperar pacientemente el decurso de los acontecimientos.

Doña Gracia Téllez, que andaba disgustada por la postergación de Isabel en la línea de sucesión al trono de Castilla como mucha otra gente, tras mandar rezar una misa de acción de gracias en la iglesia de San Juan por el nacimiento de la infanta Isabel, volvió a consultar con el obispo de Ávila y recibió su bendición para maridar a sus bisnietas con los Torralba. Además, que el clérigo le encomió al padre, al fallecido Pedro Gil, y a doña Elvira, la madre.

Apartada cualquier duda de su mente sobre la conveniencia de los matrimonios, un domingo de noviembre a la salida de misa de diez de la Catedral ajustó por fin a María de Abando. Una muchacha rústica, procedente de las Vascongadas, de ojos negros como el azabache, de rostro agraciado y de la misma edad que sus bisnietas. Le prometió un caballo en pago de sus servicios y le habló largo de lo que pretendía:

—Mira, moza, tengo dos nietas… Dos mujeres de lunas que no quieren maridar… Quiero que les quites los pájaros que llevan en la cabeza para que presten atención al negocio de su matrimonio y, a ser posible, que se enamoren de sus prometidos… Porque yo, hija, me casé dos veces, una sin amor y otra con amor, y viví mejor con mi segundo marido que con el primero.

—Eso es pan comido, señora —sostuvo María.

—Además, como tengo vistos dos posibles novios, quiero que indagues de qué familia son…

—Lo haré a gusto, señora… Dígame su merced cómo se llaman e dónde viven que soy muy buena alcahueta. ¿E por estos dos servicios me dará su merced un caballo? —preguntaba María asombrada.

—¡Sí! Pero guardarás silencio y no te irás de la lengua…

—¡Seré muda, señora, que me muera si abro la boca!

—No hablarás ni con mi criada, aunque te vaya a preguntar…

—Descuide su merced, ¿qué familia es la de los novios?

—Todavía no son novios, di mejor presuntos novios… La familia se llama Torralba, vive en la plaza de la Fruta, en una casa grande con dos portales a la calle…

—Conozco a los Torralba, acabo de hacer allí servicio… He sacado las ratas que había en la casa… ¡Cincuenta y dos ratas de más de un palmo!

—Quiero saber si son judíos, si guardan el sábado…

—Ya le puedo decir a su señoría que no, que son cristianos. Que me he fijado.

—¿Van a misa y comulgan todos?

—¡Todos van los domingos y fiestas de guardar, y la viuda hace mil caridades y va a misa a diario!

—¡Ah, bueno!

—Don Perogil, que ya falleció, fue judío pero se convirtió. Entiendo que don Perogil fue el padre de los muchachos…

—Sí.

—Y que los mozos son Andrés y Martín, porque no hay otros…

—Sí. ¿E quién vive en la casa?

—La viuda, doña Elvira, los dos mozos e tres mozas de nombre Catalina, Isabel y Elvira... E sé que hay dos hijos clérigos que viven lejos y una hija casada en otra ciudad... E muchos criados, pues son gente amillonada...

—Me has dicho lo que quería, pero deseo saber más de ellos, todo lo que se pueda... Cómo viven, cómo duermen, cómo comen, cómo alientan, qué sufren... ¿lo entiendes moza?

—¿E por esto me va a dar vuesa merced un caballo?

—¿No es lo que hemos convenido?

—¡Sí! ¿Y el hechizo de amor que he de hacer a vuestras señoras nietas?

—Lo dejaremos estar de momento; primero, me sirves con esto, luego con lo otro... Volveré a llamarte con mi criada... Cuando hayas cumplido el encargo me informas, y te enviaré el caballo a la ermita del Cristo de la Luz... ¡A Dios!

—¡Vaya con Dios su señoría, que Él allane su camino, colme sus anhelos e dé buena boda a sus nietecicas!

E fuese María admirada de su buena suerte.

La anciana llamó a Catalina, se colgó de su brazo e iba contenta por haber desechado lo del ensalmo, no fuera a causarles algún daño a sus bisnietas, pues ya eran mancas por su natura y bastante tenían. E iba alegre porque los Torralba fueran gente piadosa. Divertida, además, porque la cocinera le preguntaba y ella le ocultaba el nombre de los novios, e hacía bien, porque, aunque le tuviera confianza, mejor no decir las cosas a las claras, pues en el ínterin podían surgir quizá dos pretendientes mejores que fueran de noble ascendencia y cristianos viejos.

Como doña Gracia Téllez le había prometido darle en pago a sus oficios un caballo que valía una fortuna, María de Abando acreció su propia estima, olvidó el negocio de la sortiña de

34

Bilbao, la herencia de su antigua maestra, y tomóse mucho interés en servir a satisfacción a la señora. Por eso volvió varias jornadas seguidas a la casa de los Torralba a preguntar a las criadas, para luego poder decirle todo lo que oyera a la marquesa, que quería saber lo más posible de ellos.

Salía de la ermita a la hora prima con su morral, después de beberse el cuenco de leche de cabra que le llevaba la hermana Miguela y de mirar el cielo por ver cómo se presentaba el día. Caminaba a buen paso, entraba en la ciudad por la puerta del Grajal y en la primera taberna que hallaba al paso se echaba al coleto un vasito de aguardiente, o dos, y compraba un cantarico para abrir la boca de los sirvientes de la familia Torralba, e se entraba luego por la puerta de las cuadras, dando de beber a los caballerizos y a las guisanderas, las más parloteras de la casa.

De doña Elvira, la madre, conoció que había estado casada con don Perogil durante veinticinco años, y que los dos habían sido de religión hebrea, aunque a poco de maridar se habían convertido al cristianismo, y lo que le decían:

—Ya sabes tú lo que pasa con los judíos que, de repente y las más de las veces sin más causa que ayer, son perseguidos.

—Lo sé.

—Doña Elvira, que es mujer muy piadosa, tomó tal nombre al ser bautizada, pues antes se llamaba Sara, y maridó con don Perógil, antes llamado Ibrahim Abenamar. Tuvo nueve hijos: Juan, que es obispo de Segovia; María, que está casada en Burgos; Alonso, que es arcediano en Sepúlveda; Pedro, que es contador del rey y regidor en Segovia; Andrés y Martín, que son caballeros y viven en casa, y Catalina, Isabel y Elvira, que viven también aquí y son doncellas casaderas.

—No tienen relación con otros hebreos —terciaba otra—, salvo doña Elvira, que trata con su cuñada, con doña Esther, que no se quiso convertir a la par que su hermano, y tiene una carnicería en el barrio judío, e viene alguna vez a esta casa e nuestra señora le da dinero, pues que tiene mucho... Nuestra ama es buena cristiana, va a misa diariamente, comulga y sale todos los años en la procesión del Corpus Christi y, a más de abonarnos el sueldo por Navidad, nos da buena propina, que aquí, hija, no estamos por la ropa y la comida, que cobramos buen dinero... E don Pedro, el contador, nos ha dicho varias veces que si queremos nos lo guarda y que en veinte años nos hará un capital...

—Pero, oye, nosotras no queremos, que nunca se sabe lo que puede suceder... —apuntaba la primera.

—Hacéis bien, cada uno con lo suyo...

—Y el dinero cerca o enterrado...

—El año pasado me compré cuatro varas de brocado para hacerme un vestido y encontrar un novio...

—¿Lo encontraste?

—¡No, porque vivo muy encerrada!

—Al alba se levanta doña Elvira y ya tenemos que estar dispuestas...

—Y acompañarla a la iglesia, que va más a gusto con nosotras que con sus doncellas.

—Bueno, bebed que está bueno el aguardiente...

—No vamos a poder preparar el almuerzo, de continuar así echaremos harina en vez de sal en el puchero...

—En esta casa hay mucho trabajo, María, y en la cocina sólo estamos nosotras dos...

—¡Ea, acercad esos vasos!

—A don Juan, el que es obispo, apenas lo conocemos, pues que se marchó a estudiar a Salamanca antes de que nosotras entrásemos a servir en esta casa... Lo mismo que don Alonso, el arcediano.

—Don Pedro, el regidor, que tiene del rey el cargo, es el más apuesto de todos... El más señor... Doña Elvira lo pone de ejemplo a los otros hermanos, que rabian de su buena fortuna, pues que ha aprendido los modos de la Corte.

—Andrés también es muy galano, pero tiene el genio vivo...

36

Le ha pedido a don Pedro que le solicite al rey Enrique que le arme caballero...

—¿Va con mujeres del común a muchos este Andrés?

—Por supuesto. Se diz incluso que tiene barragana con casa puesta en el rabal de San Nicolás.

—Martín, el otro soltero, también va con mujeres placeras.

—E los dos vuelven a casa al amanecer, muchos días borrachos... Que vienen de sus negocios, cenan con su madre y sus hermanas y, apenas éstas se van a la cama, ellos salen de parranda...

—¡Otro vaso de aguardiente, comadres!

—¡Ea, María, escancia!

—La señora está muy contenta de que hayas quitado las ratas...

—Las ratas y los espíritus puedo arrojar de una casa... ¿E Martín cómo es?

—Más calmado que Andrés... Su madre a veces se encorajina con él, le dice que, si quiere ser caballero, ha de tener más agallas y la respuesta más presta, pues que habrá de ir a la guerra con el señor rey y no es cosa de niños, sino de hombres muy bragados...

—¿Pero vale para el acto carnal?

—¡Oh, sí, sí!

—A ésta la ha encorrido más de una vez por los pasillos...

—¿Y...?

—¡Nada, su madre lo vigila, a Dios gracias!

—¿Y esa María que está en Burgos?

—Tampoco sabemos della, pero está muy bien casada con un mercader... De los que llevan barcos cargados de lana a Flandes...

—¡Ah! ¿E las doncellas?

—A decir verdad, las doncellas son necias e impertinentes... Las que peor nos tratan...

—Con desabrimiento...

—A más, nos humillan todo lo que pueden...

—E siempre le sacan algún pero a la comida, que si está salada, que si el pastel está demasiado dulce, que hagamos pasteles, que por qué hacemos tantos pasteles, que no les gusta tal, que no les gusta cual... Pero, como son las señoras, nos tenemos que aguantar.

—E poner buena cara.

—E para mí, señora María, que Catalina habla con los espíritus...

—¿Cómo es tal?

—Oye, otro día te lo contaremos que tenemos que ponernos con la manduca...

—Bueno, volveré, quedad con Dios buenas mujeres...

—Que Él te acompañe...

E se iba María mosca, la mar de mosca, porque la tal Catalina, la mayor de las hermanas solteras, hablara con los espíritus. Y llamaba a la puerta de la casa de la calle de los Caballeros y le contaba a doña Gracia lo que le habían dicho las cocineras por lo menudo; cierto que a veces había de darse una vuelta antes de entrar y beber agua en la fuente de la plaza de la Fruta para despejarse la cabeza y quitarse el olor a alcohol.

La señora marquesa la recibía en el gran comedor delante de un gran fuego que crepitaba en la chimenea y del retrato de un hombre de grandes ojos.

La dama la escuchaba muy atenta y, al terminar, hacía que Catalina le diera alguna cosa, un cacho de empanada, una coca de sardinas en los días de vigilia o una tortilla entre pan. E no le preguntaba nada de su vida, ni de dónde era ni qué hacía ni si era feliz o infeliz ni si tenía novio o padre o madre... Por eso María tampoco le preguntaba dónde estaban sus señoras bisnietas ni qué ruidos eran ésos ni si estaban de albañiles. Cierto que a la semana de entrar en la casa de la calle de los Caballeros a gusto hubiera demandado si acaso estaban buscando un tesoro.

4

Mil veces leyeron los príncipes —que de la noche a la mañana habían pasado a ser infantes— la real cédula que fue clavada en la puerta grande de la iglesia de Dueñas con la declaración de don Enrique, con el juramento de la reina Juana, con la designación de la Beltraneja como primera heredera y con la revocación del nombramiento de Isabel como tal. Y menos mal que eran personas animosas pues que, como las desgracias nunca vienen solas, hubieran podido caer en la melancolía al terminar de leer los cinco pliegos del documento y enterarse de que se había celebrado el matrimonio a futuro de doña Juana, la hija de la reina, con el duque de Guyena, el hermano y heredero del rey Luis XI de Francia.

Menos mal que supieron responder y enviaron cartas, que Isabel no quería ir en armas contra su hermanastro, nada más fuera por cumplir el testamento de su señor padre explicando los pormenores. Escribieron doce pliegos, clamando que el rey había pospuesto los negocios de la ley, el derecho y lo declarado en Guisando, donde había aceptado que la actual primera heredera no era hija suya, cuando, ahora, volvía a serlo, al parecer... Argumentando que lo que antes no era, no puede ser ahora, que el comportamiento del soberano no era propio de rey, entre otras cosas, porque había despojado de la villa de Aré-valo a la reina viuda... Y aún contaron la historia de Bernaldo del Carpio y hablaron de la derrota del antiguo emperador Carlo-magno en Roncesvalles, pero fue en vano... Porque no podían hacer otra cosa que salir de Dueñas cuando se sentían amena-zados, refugiarse en Valladolid y salir corriendo para Ávila cuan-do se oía que las tropas del marqués estaban cerca y, en uno u otro lugar, escribir al arzobispo de Toledo que andaba enojado con ellos, pues no le habían consultado al enviar la carta...

Y lo que comentaban los esposos:

—Fernando, no puedo hacer nada, salvo recuperarme de mi parto e hacer carantoñas a la niña...

—Y yo de los moretones que me produjeron las coces de aquel maldito caballo...

—Cuando te repongas sales de caza.

—Tú con la niña estás entretenida...

—¡Es preciosa, preciosa, se parece a ti!

—¡Es tu viva estampa! Tiene tus mismos ojos...

—Oye, Fernando, hace tiempo que no me dices que te gus-tan mis ojos...

—¡Ah, mujer!

—¿Qué le sucede a mi rey y señor?

—¡No me llames rey!

—¿No eres rey de Sicilia?

—¡Sí!

—¿Pues, entonces...?

—¡Yo quiero ser rey de Castilla!

—Yo quiero ser reina también...

—¡Ven...!

E Isabel iba.

Después de meses de trabajo en las bodegas y en el desván de la casa de la calle de los Caballeros, las dos marquesitas mancas de Alta Iglesia ocuparon el piso alto con sus esclavas, escobas, picos y palas, e parecían mismamente una cuadrilla de albañiles. Para San Blas, Juana dio las primeras muestras de cansancio en la búsqueda del cofre del rey moro, pues dejaba que trabajaran las otras y se ausentaba de las habitaciones para acompañar a la bisabuela, tal decía. E como doña Gracia la recibía con grande alegría e le hablaba, a más de de don Beppo, de millares de cosas, entre otras de la inutilidad de la pesquisa, consciente la moza de que estaban arruinando la casa, tan buena casa, y de que un negocio era picar en las bodegas, y otro, muy otro, en las habitaciones principales, fue dejando aquellas labores sucias, que siempre andaba con la cara blanca de albayalde, para atender otros negocios.

Además, que había comenzado a acompañar a su antecesora cuando se asomaba a la ventana todos los días a la caída de la tarde y, ay, que veía pasar a dos mozos, muy erguidos y gallardos en sus cabalgaduras, sobre todo uno, el más menudo de los dos, y por eso también fue dejando el pico y la pala. Y quizá fuera porque doña Gracia le hablaba de sus amores o porque le recitaba versos de micer Petrarca, que había estado locamente enamorado de una dicha doña Laura, y de otro poeta, de un tal don Dante, que había penado hasta el delirio por una tal doña Beatriz, pues según la bisabuela, el amor hacía perder la cabeza a hombres y mujeres, y no sólo la cabeza sino mucho más, hasta la honra a veces, el caso es que Juana suspiró y se enamoró, o creyó enamorarse, del caballero Martín, de apellido Torralba, e vecino della. Y comenzó a hacer oídos a las pretensiones de doña Gracia que deseaba, para poder morir en la paz de Dios, dejar a sus bisnietas felices y en buena compañía, casando a ella con Martín y a Leonor con Andrés, el otro jinete, muy apuesto también y más corpulento que su hermano.

Así las cosas, abandonada la piqueta, con la mirada lánguida, con el corazón acelerado y a veces hasta con el estómago revuelto, Juana Téllez pretendió convencer a Leonor para que abandonara la búsqueda del cofre del rey moro en manos de Dios, pero las hermanas acabaron discutiendo y enojadas. Porque no valía que Juana dijera que no tenían necesidad de encontrar ningún tesoro para que las sacara de pobres, y que tenían mucha riqueza tanto en moneda contante como en bienes inmuebles. Ni que asegurara que a la bisabuela los judíos de Milán le guardaban dos arcas llenas de oro de al menos una arroba de peso cada una. Ni que poseían casa de piedra en aquella ciudad frente por frente al palacio ducal, otra de campo a orillas del Tesino, dos castillos en Castilla con sus villas, y la mansión de la calle de los Caballeros, a más de otras rentas en juros de heredad y lo que quedaba en el arca de don Juan, su señor padre. Ni que apercibiera a su hermana de que la obstinación es mala compañera, por no hablar de la curiosidad, la peor de todas las compañías. Ni que le advirtiera que estaba derruyendo la casa, tan buena casa, y que era tiempo de detenerse para no destruir el gran comedor o el aposento de la bisabuela, lo único que quedaba por picar. Ni que entre escombros no podían vivir. Ni que le dijera:

—Escuchemos a la abuela… Tiempo tendremos de encontrar el tesoro.

No valía. Leonor no quería hablar de bodas y, azuzada por Marian, insistía en la existencia del cofre.

E, claro, la abuela hubo de poner coto a aquella sinrazón.

Porque doña Gracia había tenido paciencia con sus bisnietas, les había consentido todo o casi todo y les había permitido incluso que destrozaran una casa tan buena. No recibía visitas para que las personas ajenas no vieran los destrozos, y sólo dejaba entrar a la Niña del Cristo de la Luz haciéndole subir la escalera casi a oscuras. Venía viviendo con escaso servicio, iba andando a la catedral o a la iglesia de San Juan en vez de en carruaje o en litera como correspondía a su posición. Había padecido innumerables dolores de cabeza causados por el ruido constante de la piqueta. No había puesto a sus descendientes a estudiar gramática ni latín, ni a leer el Kempis o El cancionero de Petrarca. No las había regañado cuando había sorprendido a una o a otra bebiendo a morro del jarro del agua, en fin, que les había consentido casi todo para que afirmaran su carácter e hicieran alguna cosa por su cuenta, pero cuando entró Leonor a su dormitorio con ayudantes y cestos, se plantó y dijo no. Aunque de poco le valió, porque la joven la emprendió contra las paredes del comedor.

E lo que son las cosas, la abuela y Juana, las dos disidentes, hubieron de tragarse sus negativas, sus consejos, sus recomendaciones, sus molestias y sus quejas, porque, vive Dios, la mora Marian, a poco de iniciar la tarea en aquella habitación, picó hueco y avisó:

—¡Alabado sea Alá, Señor de los mundos! ¡Aquí suena a hueco, Leonor…!

E la marquesita se acercó rápida exclamando:

—¡*In xá Al-láh!*

E dio un golpe con toda su fuerza y, Señor Alá, se desprendió media pared.

A las voces y al fragor del derrumbe acudieron la bisabuela, Juana y Catalina. La primera observó atónita, la segunda y la tercera se pusieron a ayudar. E todas, jóvenes y criadas, alegres, desescombraron y limpiaron y, ay, que dieron con un altarcillo que llevaba tapiado a saber cuántos siglos. E como Marian pasó la escoba y luego un plumero, las seis vieron, pese al pasmo que llevaban encima, una tabla pintada de dos varas de altura y otras tantas de anchura clavada en la pared, un altar de una vara de largura y, encima de éste, una arquilla, ¡bendito sea Dios, bendito sea Alá!, forrada de cuero, del llamado cordobán, exacta a la de la leyenda del cofre del rey moro, pero más chica. Quizá porque las buscadoras de tesoros, puestas a imaginar, lo habían creído grande, muy grande y, vaya, que era muy chico.

Embargada por la emoción, Leonor llegóse al altar, tomó el cofrecillo con su mano buena e, como necesitaba de otra mano para poder abrirlo, llamó a su hermana que acudió presta y, como juntas, con la mano que cada una tenía, hacían lo mismo que una persona con dos manos, la una lo sostuvo y la otra alzó la tapa, pero no se abrió, pues estaba cerrada con llave. E Leonor, que llevaba la iniciativa en todo aquel negocio, pues que no en vano había perseverado hasta el final, pidió a las esclavas una piquetilla, depositó la arqueta en el ara del altar e pretendió abrirla a golpes, pero con los nervios no atinó, y el caso es que la destrozó toda.

Así las cosas, volcó el contenido en el ara del altar e aparecieron unos pétalos de flor, una rama de olivo con hojas, secas también, e un pergamino muy chico con unas letras muy prietas y muy borrosas, e de joyas y dineros, nada. Con lo que las seis mirantes se adujeron cada una para sí que no podía tratarse del cofre de don Tello, sino de otro, y torcieron el gesto pero se guardaron muy mucho de expresar sus pensamientos, al menos de momento.

Leonor le preguntó a su bisabuela si estaba al aire la capilla encontrada cuando ella se marchó a Milán, y al responderle la dama que no, se amohinaron todas aún más, pese a que la tabla pintada era buena y antigua, el altarcillo de fina labor y el contenido de la arqueta misterioso de lo más.

Se desanimaron tanto que dejaron la búsqueda del cofre del rey moro. Cierto que investigaron los hallazgos, e discutieron y las tres Téllez se alzaron la voz. Pues que decía Leonor que, aunque no fuera el verdadero cofre de don Alí, el cautivo de las Navas de Tolosa, algo tenía que ver con él, pues que el pergamino estaba escrito en árabe, negocio que Wafa, que sabía leer y escribir aquella lengua, corroboraba.

Como doña Gracia Téllez le envió con la mora Marian el caballo prometido, un buen jaco boquifresco, María lo tomó. Lo llevó al prado a que pastara, al abrevadero a que bebiera; lo cepilló y le acarició la crin del cuello, y anduvo todo el día muy emocionada esperando la llegada de la noche para regalarle el bicho a Mingo, como tenía pensado de tiempo atrás.

Y, en efecto, se presentó el mozo entre las nueve y las diez e venía canturreando una cancioncilla, alegre al parecer, y más contento se puso cuando levantó el farol y, al acercarse, contempló a María fuera de la ermita con los ojos risueños, la sonrisa clara e con un precioso caballo de la brida. E, como hubiera hecho cualquier hombre, no tuvo palabras para la moza sino para el bicho, del que dijo, examinándolo linterna en mano, que era un jaco albazano, anquialmendrado, y mirándole los dientes que era dentivano y, cuando le levantó las patas para verle los pulpejos de los cascos, aseguró que escarcearía bien —tal sostuvo como si supiera de caballos todo lo que está escrito y más—, y le acarició la crin del cuello y la bestia se dejó hacer, como si el joven fuera su amo y lo conociera de toda la vida.

Entonces María exclamó:

—¡Es para ti, Mingo, te lo regalo!

—¿Para mí? ¡Estás tonta moza, lo puedes vender en el mercado y sacar muy buenos maravedís!

—¡Mingo, es para ti; lo pedí en pago a un trabajo para regalártelo!

—¡Oh, pardiez, María!

—Es para ti...

—¡Oh, María, qué has hecho! ¿Has cambiado el sol de lugar?

—Es tuyo, Mingo, con él podrás dejar tu oficio de contador e alistarte en las tropas del concejo de Ávila para empezar a caminar tu brillante destino... Acuérdate que predije para ti el día en que nos conocimos que llegarías a ser rey de un país al que me fue imposible ponerle nombre aunque me hubiera gustado,

45

porque el agua me dice algo, pero no todo… Toma el caballo e cuídalo…

—¿Tú crees que mi porvenir está escrito?

—Ya lo creo, Mingo, el tuyo y el de cualquier hombre y mujer, sólo es menester leerlo…

—¿Y en mi porvenir sale una mujer llamada María de Abando que nació en Bilbao, que es ensalmera, curandera y brujilla… Que posee unos ojos como dos estrellas, una boca que llama a ser besada y un culo como un sol…?

—¡Mingo, no empieces!

—¿Sales tú en mi porvenir?

—¡Sí, Mingo, sí, pero no me atontes! Llévate el caballo… ¡Mañana hablaremos largo!

—¡Ea, gracias, María! Eres como un ángel para mí… Nunca me había regalado nadie nada…

—¡A Dios, Mingo!

Fuese el contador como unas pascuas, el caballo de la brida, e lo dejó en las cuadras del convento de Santa Ana. Pero a la mañana siguiente fue llamado por la abadesa, que le pidió su parte e, sin acordarse del juicio de Salomón y sin encomendarse a Dios ni al diablo, como el bicho no se podía partir, se lo requisó. E hizo mal la priora, muy mal, porque el Mingo le fue a su novia o a su benefactora, o lo que fuera, con el cuento, y María montó en cólera, no por él, pero sí delante de él.

E fue que se plantó en medio del camino y, alzando los brazos al cielo y puesta de espaldas hacia el levante, gritó y, Santa María, movió los vientos promoviendo una tempestad de tierra y agua, e hasta las ventanas y las puertas del cenobio temblaron y se oscureció el sol por toda la comarca durante media hora o más, a la par que descargaban truenos y relámpagos muy próximos… Y a no ser porque el Cristo de la Luz se estaba poniendo perdido de polvo, y otro tanto el Mingo, que temblaba como una hoja zarandeada por el viento, y otrosí la autora de los malos vientos, ensopados los dos, a saber cuánto tiempo

46

hubiera durado y qué daños hubiera ocasionado aquel turbión que se contempló netamente desde las almenas de la ciudad.

Por el Cristo, por el Mingo y por ella, María se contuvo e no hizo mayores males, pero bien pudo hacerlos como acababa de demostrar, pese a que se había dicho que ya no valía para ejercer su arte. Eso sí, airada como estaba, pensó en abandonar la ermita y a la abadesa y, tras despedir al Mingo asegurándole que hablaría con la priora sobre el caballo, se encerró en la iglesuela, se levantó la saya, se desabrochó el cinturón y observó los saquetes de dinero que llevaba cosidos en él y bien tapados, por hacer algo, por acallar sus nervios, por ver qué hacía. E, sopesándolos, se dijo lo que se había dicho otras veces: que llevaba demasiado dinero encima, que debía comprarse una casa o llevarlo a algún judío para que se lo guardase y en veinte años le acreciera un capital, e se apresuró a esconder su fortuna a los pies del Cristo en el hueco existente entre el altar y la pared, a la espera de tomar determinación…

Y en esto tentó por casualidad el talego que contenía la mitad de la herencia de María de Ataún, el que le había entregado la sortiña del Nervión con tanto desabrimiento y, sosteniéndolo en sus manos, se adujo que tiempo era de conocer su contenido. Ni corta ni perezosa, se levantó para encaminarse al bosquecillo lindero con la alta tapia de las Gordillas, pero para no mancharse los pies de barro, porque habían caído chuzos cuando levantó la tempestad, se acomodó en el suelo de la iglesuela y procedió a la apertura del morral.

5

No todo eran adversidades para los señores infantes que habían recibido juramento de fidelidad de las gentes de Asturias, Vizcaya y Guipúzcoa. Don Fernando había ingresado en la prestigiosa orden de caballería del Toisón de Oro, por deferencia que había tenido con él el duque de Borgoña. La niña Isabel se criaba fuerte y sana y ya correteaba. Los nobles venían a platicar con ellos y les traían regalos. El duque de Guyena no quería saber nada de su esposa, de doña Juana, dicha la Beltraneja, con la que había maridado a futuro y ni siquiera cruzaba cartas con ella para decirle que vendría a Castilla o iría ella a Francia, o que no habría fronteras entre los dos países, o que cabalgarían juntos por los verdes prados o visitarían tal monasterio y harían ofrenda, o bailarían una gallarda en su castillo de tal o harían esto o estotro; no le decía palabra ni por elemental cortesía... Además, el fracaso del marqués de Villena era manifiesto, pues hasta los que habían recibido mercedes de él se iban de su lado, y las gentes del común y casi todas las de linaje veían con buenos ojos a los infantes que con su buena conducta preconizaban mejor futuro para el reino... Amén de que llegó a España el cardenal Rodrigo de Borja, sustituyendo al legado pontificio anterior, con manda de Su Santidad Sixto IV que quería organizar un poderoso ejército que detuviera al turco en los Balcanes.

El dicho Borja, llamado Borgia en Italia, era nacido en Játiva y obispo de Valencia. Como traía bula validando el matrimonio de los príncipes, Fernando fue a recibirlo a Barcelona y allí se albrició al conocer la buena noticia de que el cardenal, que portaba poderes del Santo Padre, aceptaba los pactos de los Toros de Guisando y denegaba lo hecho en Valdelozoya. A cambio de aquel favor, el príncipe, tras escuchar las nuevas, se comprometió a luchar por la cristiandad, y tal hizo a lo largo de su vida, y ya se apresuró a escribir a su esposa comentándole tan excelentes nuevas.

Doña Isabel respiró aliviada al leerlas, pues que, aunque casada con todas las bendiciones, al maridar con la falsa bula que presentó en sus esponsales el arzobispo de Toledo, había vivido en irregular situación, por no decir en pecado, que más de una vez se lo dijo pero, vaya, que se resolvió todo, a Dios gracias.

Llegó Borja a Castilla y fue agasajado, e todo parecía ya estar de lado de los cónyuges, e más que estuvo todo, pues la reina Juana abandonó al rey Enrique e largóse con su amante el Pedro de Castilla, a quien contentó con otro hijo, el cuarto.

Andaba el de Villena acaparando más y más señoríos, pero desesperado, pues hasta el rey se le escapaba de las manos y, enfermo, escuchaba de labios de sus espías que don Enrique había hablado de la sucesión con el legado que había venido a estropearlo todo. A estropear más lo que estaba estropeado, o perdido quizá, pues que, amén de trastocar la política del reino, trajo noticia de que don Pedro González de Mendoza, obispo de Sigüenza, iba a ser promovido al cardenalato, lo que encolerizó sobremanera al arzobispo de Toledo, que tenía más méritos que el otro para ocupar tal prebenda. Con todo no hubo manera de juntar a los linajes de Castilla para dirimir qué hacer con doña Juana la Beltraneja, la sucesora.

Además, el 16 de octubre de 1472 la ciudad de Barcelona se

rindió al rey don Juan de Aragón, y el príncipe Fernando dejó Castilla con cuatrocientas lanzas en ayuda de su padre y con una letra en su pendón, la Y, por Isabel. Que se quedó apesarada y se recogió unos meses en Talamanca, feudo de Carrillo, cercano a las tierras de los Mendoza, hasta que se trasladó al Alcázar de Segovia con su hermano y con su buena amiga Beatriz de Bobadilla, pese a que la fortaleza había corrido peligro de caer en manos del marqués de Villena.

La Bobadilla organizó que Isabel fuera recibida por don Enrique. E venida ésta al Alcázar el 30 de diciembre de 1473, un día gélido, fue a besar la real mano y los reales brazos la abrazaron y la real persona cenó con ella. E luego se vio juntos a los hermanos jugando a tablas o bebiendo una copa de vino, Isabel de toronja, pues que no gustaba del jugo de Noé, y escuchando a los bufones que en presencia de la princesa callaban las groserías, o cabalgando, holgando al pueblo, después de todo. Pero, a primeros de enero, el rey enfermó gravemente e trasladóse a Madrid, donde ni hizo ni deshizo, pues sufrió el mal de ijada que lo llevó a la muerte en pocos meses. Es más, dejó que Fernando arreglara unos asuntos entre los Pimentel y los Mendoza, pleitos de familias nobles que afectaban a todo el reino. No quiso ver a nadie, salvo a su capellán, y se comentó que, enterado del fallecimiento de su valido el marqués de Villena, ya no abrió la boca ni para responder a los que le preguntaban si la Beltraneja era hija suya, pues que agonizaba lentamente, para morir el 11 de diciembre, día en que nombró albaceas testamentarios y les encomendó a doña Juana, a quien otorgó otra vez el título de princesa, con lo que eso podía acarrear.

Va dicho que en el gran comedor de la casa de la calle de los Caballeros de la ciudad de Ávila, la mora Marian encontró una capilleta tapiada y muy antigua, con una tabla pintada muy buena, un altarcillo de buena traza y una arqueta de cordobán que Leonor destrozó completamente para poder abrirla, y fue menester tirarla.

La marquesa guardó el contenido: los pétalos de la flor, la rama de olivo y el pergamino, escrito en árabe con letras muy prietas. Después de examinarlo una y otra vez, después de convencerse de que no habían encontrado el cofre de don Tello, tras muchos trabajos y consultar con Wafa, Leonor llegó a la conclusión, ante la admiración de su bisabuela, que no veía nada en el pergamino ni con los espejuelos puestos, de que el escrito reproducía la *Fatiha*, la primera azora de El Corán, conteniendo la primera aleya, llamada *basmala,* y la siguiente, las mismas que traían ella y su hermana en un saquillo colgado del cuello desde que nacieron, pues se la pusieron las esclavas moras para que Alá las protegiera de todo daño en su vivir. Wafa la recitaba de memoria:

—En el nombre de Dios, el Clemente, el Misericordioso…

Pero oyendo a la mora, doña Gracia desengañaba a Leonor, a la par que le preguntaba:

—Algo más dirá el escrito… Lo que recita Wafa es una invocación, una oración.

Que, vaya, o no decía nada más o las buscadoras eran incapaces de descifrar qué.

En otro orden de cosas, las dos jóvenes marquesas aceptaron que entraran albañiles en la casa para reparar los daños ocasionados durante la infructuosa búsqueda del tesoro. Y, por fin, escucharon a su bisabuela, que les dijo palmariamente que, habiendo cumplido los veintitrés años, debían maridar o entrar en religión, y las puso en el brete de elegir. Por eso se asomaron con ella a la ventana del gran comedor a ver pasar a los dos Torralba cada día a la puesta del sol. E ya fuera porque a Juana se le había revuelto el corazón con anterioridad, ya fuera por los versos de micer Petrarca que recitaba la dama a toda hora, ya fuera porque les hablaba de su pasión por el condotiero, que le había correspondido hasta en el momento de morir, pues que falleció con su nombre en los labios, ya fuera porque estaba de Dios, el caso es que también se alteró el pulso de Leonor. Y, como ninguna de las dos gemelas dieron la menor importancia al hecho de que Andrés y Martín fueran descendientes de judíos conversos, entre otras razones porque no sabían bien qué era eso ya que habían vivido sin tratar con gentes ajenas a la casa, dada su manquedad que no era de exhibir, y entre dos religiones bien diferenciadas, ora encomendándose a Dios, ora a Alá y las más de las veces a los dos, o fuera porque no le supieron decir que no a la bisabuela, convinieron con ella en que les arreglara casamiento con los mozos.

Y es que era difícil no encandilarse con la pasión de doña Gracia cuando hablaba de sus amores con don Beppo de Arannola. Del desasosiego permanente que sufriera en sus veintiún años de matrimonio, ya estuviera su amado en casa o haciendo la guerra, ya fuera de noche o de día. O de la muerte de su amado, con su nombre en los labios, en vez del nombre de Dios, tal susurraba la anciana, pecando de impiedad, pues que le parecía excelente que el condotiero pronunciara su apelativo en vez de pedir favor al Señor en su último trance, al menos tal deducía Catalina, y lo comentaba con las moras en las cocinas después de cenar, una vez fregados los vajillos. Es decir, cuando dejaba de andar por la casa con la escoba, el cubo y la bayeta limpiando detrás de los albañiles, y cuando descansaba ella también de los versos del Petrarca, que ya se sabían de memoria todas las habitadoras de la casa:

> *Esta mansa fiera, corazón de tigre o de osa,*
> *que con traza humana y forma de ángel viene...*

O:

> *Una candorosa cierva sobre la hierba*
> *verde se me apareció.*

O… o… o… Que todo eran trovas en la mansión de la calle de los Caballeros.

—¡Cuánta necedad, hijas! —se quejaba Catalina a las esclavas, que le respondían:

—¡Ten cuidado, no hables tan alto! Doña Gracia está por estas bodas, si nos oye murmurar se enojará…

—Y nos mandará azotar o nos largará de casa…

—A nosotras nos vendería…

—Y viejas ya, no nos querría ningún amo…

—No… La señora es buena y las niñas, mejores…

Así las cosas, unas moradoras suspirando y otras renegando, un día llegó Wafa con la noticia:

—¡Los novios son dos Torralba! ¡Los de la casa grande de la plaza de la Fruta!

Y Catalina no se pudo reprimir:

—¡Son judíos! ¡Dios nos asista! —tal exclamó e, dejando el puchero al fuego, fuese a rezar a la iglesia de San Juan.

Las moras, mientras se encaminaban a barrer las cuadras, comentaban:

—¿Qué tendrá que ver que sean judíos? Nosotras somos moras y hemos criado a las niñas en el amor de Alá y del prójimo…

—Ellas sabrán convivir con sus maridos, del mismo modo que lo han hecho con nosotras…

Y menos mal que no las escuchó la cocinera, pues les hubiera preguntado en el amor de qué Dios las habían criado.

María, oculta del mundo entre las paredes de la ermita del Cristo de la Luz, se sentó en el suelo, se alisó la saya, tomó en las manos el morral de la bruja de Portugalete y, sin miedo, lo abrió, consciente de que si había retrasado la apertura, acallado su curiosidad y hasta olvidado la existencia de aquella herencia, fue por miedo. Porque María de Ataún en vida había sido bruja

53

capaz de cometer grandes maldades. De trocar a un hombre en sapo, de llevar al hombre convertido en sapo al aquelarre de la campa de Miravilla —donde se juntaban cincuenta o sesenta ollas con sus dueñas, a cual peor— para ser muerto a varazos con los sapos verdaderos y hacer untura mágica. Y también de llenar de gusanos un manzanal para terminar con él en pocas horas. O acabar con los trigos de diez millas en derredor en una noche, pero ya no tenía miedo María de Abando, no.

En razón de que había pasado tiempo más que suficiente para que el talego, de guardar en su interior alguna maldad, hubiera hecho daño, y no. Por eso lo desató ante la sola presencia de su perro *Mot*, y sacó un queso podrido envuelto en tela embreada, que olía tan a demonios que hasta al can lo repelió; y, volcándolo sobre la saya, cayó un saquillo muy chico, de los que las gentes llevan colgados al cuello para evitarse pavores y recibir favores, que la mujer reconoció al instante. El saquito de María de Ataún conteniendo los huesecitos de las manitas de un niño malparido, que tanto había apreciado la bruja... Y, claro, María lanzó un profundo suspiro al recibir tan buen regalo de una mujer con la que no se había entendido y hasta había terminado mal...

Se lo colgó del cuello e se llenó de una rara energía, tanto que hubo de aspirar y espirar, e se lo quitó e se lo puso y otro tanto le volvió a ocurrir, pero con la mente muy clara se dijo que aquellas cosas, el queso, el saquete y el talego, por muy valiosas que fueren y contuvieren alguna virtud, no eran la media herencia de María de Ataún, entre otras razones porque no había ni una puta blanca ni un maldito maravedí. Tal dedujo la muy ordinaria, que tantos años tratando con monjas y contemplando los ojos lastimeros del Cristo de la Luz todavía no eran suficientes para que de tanto en tanto no salieran de su boca palabras groseras.

Con aquellos objetos que ya formaban parte de su hacienda, tentando las manitas del niño malparido, que ya no le pro-

54

ducían ansia en virtud de que ella se había acostumbrado a ellas o viceversa, salió de la ermita a tirar el queso lejos, pues que ni el can lo había querido catar de tan podrido que estaba. Después, sentada en los escalones de acceso a su casa, reflexionó aduciéndose que, dada su juventud, quizá se hubiera portado mal con la bruja de Ataún, que era la mejor hechicera de la zona y la superaba en todas las artes, excepto en hacer untura, menester en el que ella no tenía parangón, y así se lo había reconocido su patrona múltiples veces e la enviaba a la charca de Mendieta a buscar sapos y la obligaba a preparar cada día una libra de ungüento. Claro que era mucho quehacer tanto majar con el almirez, e añadir tripa de limaco y patas de salamandra, a más de buscar tritones en un manantial, e cribar los menudos e cocer todo en la olla a fuego lento. Lo hubiera hecho incluso a gusto, pero, como quiso que le limpiara la casa como si fuera criada, eso no.

E estaba en aquellos pensamientos e le venía gana de volver a su tierra por tornar a ver los verdes prados y por asistir a los aquelarres, a la par que se decía que allí, entre conventos, aunque viviera cómoda ciertamente, estaba desaprovechando sus grandes artes... Pero también le venía deseo de llamar al Mingo al bosque y, ay, de hacer con él lo que no hace dueña honrada... Consciente de que le daría una alegría al hombre, tanto que lo había evitado, y es que, de repente, se le había puesto un diablillo en sus partes de mujer, pero como no era necia se dio cuenta de que aquellos ardores procedían de los restos del niño malparido pues que, abriendo el saquete, se los había echado en la mano para examinarlos y la mano, vaya, le descansaba encima de la saya muy cerca de donde se le revolvía su natura de mujer. Los alejó, y a poco le desapareció aquel hormiguillo. Así las cosas, tras preguntarse qué pardiez habría pretendido la bruja de Portugalete enviándole el saquete, convino consigo misma en que podía ganar mucho dinero con él, prestándolo

55

6

Isabel, que estaba en Segovia, recibió noticia del fallecimiento de su hermanastro, Dios lo tenga con Él, en la madrugada del día 12 de diciembre, en ausencia de Fernando, que andaba luchando contra los franceses en el Rosellón, pues que habían vuelto a invadir aquella tierra que había sido del señor don Juan de Aragón.

Se supo luego que, poco después del segundo canto del gallo, había llamado un mensajero a la aldaba del Alcázar de Segovia y clamó a la guardia a grandes voces asegurando que traía noticias para doña Isabel. E los de la muralla le preguntaron qué noticias tenía, no fuera a tratarse de alguna treta, pero él se negó a responder. Ante la falta de contestación, los soldados levantaron de la cama a don Andrés Cabrera, el alcaide de la fortaleza, que casualmente yacía en su lecho conyugal con doña Beatriz de Bobadilla, su esposa. Ambos se echaron un manto por los hombros e fueron a interrogar al correo que, vaya, era hombre empecinado, e volvió a preguntar por la señora princesa.

Cabrera, demostrando que primero era soldado e luego servidor del rey Enrique e de su señora hermana, por este orden y por lo que pudiera suceder, le arrancó a un guardia la lanza y la arrojó a media vara del alborotador, que viendo el cariz que tomaban las cosas, habló al alcaide por fin, o a quien fuera aquel gigantón que a poco más lo mata, diciendo:

—El rey Enrique ha muerto… Llevo manda de comunicárselo a la princesa doña Isabel…

Los hombres que estaban en la almena demudaron la color, e fue el jaleo en el Alcázar. Porque entró el dicho mensajero e repitió lo que ya dijera y, antes de que pidiera agua para él y su caballo, ya estaban arrasados de lágrimas los ojos de Cabrera, los de su mujer, los de los soldados e ya acudían las gentes al patio de armas: soldados, capellanes, pajes, criados, guisanderas… Y ya los clérigos asonaban las campanas tocando a muerto e con los tañidos la noticia se extendía por la ciudad y comarca… E las gentes lloraban, e la pequeña infanta Isabel, que todavía no había dejado la teta, también.

La princesa fue informada por doña Beatriz, que entró en su aposento en camisa de dormir como una tromba, sobresaltándola e, sin esperar a que se repusiera del susto, le dijo:

—¡Isabel, tu hermano Enrique ha muerto! —e fue necio que dijera el nombre del hermano, pues que no tenía otro.

La joven, que había pensando muchas veces qué hacer en aquel momento, quedóse pasmada, por eso hubo de repetirle la dama:

—Isabel, tu señor hermano ha muerto…

Pero la princesa meneaba la cabeza, se tapaba la cara con las manos e no se levantaba de la cama, cuando, Señor, Señor, tenía tantos quehaceres: aviarse, dolerse en público, llorar, escribir a su esposo y conminarle a que viniera raudo, presidir el funeral por el muerto y, ay, Jesús, proclamarse reina…

Llegó Cabrera a la habitación de Isabel con el mensajero, quien, observando a la princesa, que se tapaba los ojos como queriendo esconderse del mundo, exclamó:

—¡Castilla por doña Isabel!

Frase que corearon todos los presentes. Así que constató la princesa que al menos allí, en el Alcázar, un puñado de castellanos estaba por ella, y suspiró, a saber si por lo que venía o por lo que dejaba atrás. Y lo que pensó fue que ahora que ya era reina de Castilla, de León y demás, a falta de algunas formalidades y de lo que sucediera con la hija de la reina, con la dicha Beltraneja, que era heredera también, no se sentía mejor que ayer que era princesa, que se sentía igual.

Y reaccionando, le dijo a doña Beatriz al oído que hiciera desalojar a los hombres de la habitación, e procedió mismamente como si viviera un día corriente. Se levantó, rezó sus oraciones, se aseó, dejó que sus camareras la vistieran de negro con un sayo, pues que se probó un corpiño pero lo desechó porque le estaba estrecho, y una de las damas se dispuso a sacarle doble de la cintura hasta la sisa.

Actuó con pausa y serenidad, y a poco llamó a su capellán para que celebrara misa y, como si el tiempo no corriera, escuchó un largo sermón sobre las virtudes que deben adornar al buen rey, tales como templanza, prudencia, generosidad, magnanimidad, etcétera, prédica que, por primera vez, iba dirigida a ella. Terminada la ceremonia religiosa, despachó a todos los que había dejado entrar en su aposento para la misa, excepto a la Bobadilla y a doña Mencía de la Torre, que continuaba con la costura, y platicó largo con ellas. Es más, como deben hacer las madres, se ocupó de su pequeña hija la infanta Isabel, que tenía tres años de edad, la hizo llamar y, tras colmarla de besos, se la confió a doña Beatriz para que la criara del mismo modo que a sus propios hijos, que no quiso más para la niña y, dándole otros mil besos, sostuvo con lágrimas en los ojos:

—Te entrego, Beatriz, lo que más quiero…

—No se arrepentirá vuestra alteza, pues cuidaré a doña Isabel mucho más que si fuera hija de mi carne…

Y cambiando de tema preguntó:

—¿Qué piensan mis damas, debo esperar a don Fernando o ir yo sola a la proclamación? —preguntaba Isabel.

—No hay tiempo que perder, alteza.

—Los partidarios de la Beltraneja están por todas partes... Debe su señoría ir sin dilación.

—¿No puede coser doña Mencía más aprisa?

—¿Puedo ayudar? Yo coso por un lado y doña Mencía por otro —intervenía doña Beatriz.

—No, el corpiño es estrecho. No hay sitio para cuatro manos... Lleva su tiempo o se descoserá todo...

—Paciencia, doña Isabel, que es menester que en el día de hoy llevéis buen avío.

—En cuanto nos casamos, las mujeres engordamos y echamos carnes —sentenciaba doña Mencía moviendo la cabeza.

Pero tanto rato llevaban las tres damas reunidas, doña Mencía aún con la costura, que a Cabrera se lo llevaban los demonios en el corredor y tan furioso andaba que se permitía denostar ante sus inferiores al género femenino. Pues se preguntaba de qué, demontre, charlarían las tres mujeres y por qué no salían, cuando en aquel momento debían hablar los hombres con las armas y tomar todas las torres de la ciudad de Segovia, a más de cruzar mensajeros con los linajes partidarios de Isabel para discernir dónde estaba cada uno, en razón de que vaya vuesa merced a saber qué estarían maquinando los seguidores de la señora Beltraneja, pues que del arzobispo de Toledo, del conde de Benavente y del hijo de Villena se podía esperar cualquier cosa, y a río revuelto, ganancia de pescadores. Claro que a momentos dudaba si mejor fuere que doña Isabel permaneciera encerrada en su aposento a la espera de que regresara su marido e, tomando las determinaciones oportunas, hiciera por ella.

Pero se engañaba el alcaide, porque aquella mujer, a más de esperar a que su camarera le arreglara el único corpiño bueno que tenía de color negro, estaba haciendo por ella. No porque fuera suficiente para hacer en solitario, pues que en aquel momento necesitaba que todos los habitadores del reino, principales y menudos, hicieran, en razón de que era lo mismo que hacer por todos, sino porque su marido estaba guerreando en el condado de Rosellón, es decir, muy lejos, allende los alpes Pirineos, e no había tiempo que perder porque las villas y las ciudades de Castilla, en aquella situación desacostumbrada aunque ciertamente esperada, podían decantarse por una princesa heredera o por otra, pues que, de un tiempo acá, había dos. Y eso, doña Isabel, aconsejada por sus damas, después de considerar tales y cuales cuestiones, de analizar el pasado, el presente y hacer votos por el feliz decurso del futuro, a más de encomendar a su hija a doña Beatriz y dejarse aviar de luto, tomó la decisión de presidir las honras fúnebres por su hermano muerto y, a las veinticuatro horas, proclamarse reina, en razón de que los soldados, fuera de la habitación y los vecinos de Segovia fuera del Alcázar, le echaban vivas y la llamaban reina, sin olvidarse de su señor marido. Es más, anteponiendo el nombre de don Fernando al suyo, gritaban:

—¡Castilla, Castilla, por el rey don Fernando y por la reina doña Isabel, su mujer, propietaria destos reinos!

E como clamaban las gentes lo que clamaban, aunque precedieran el nombre de su esposo al suyo, la princesa convino con sus damas en aprovechar lo favorable del momento, pues no había que olvidar que la hija de la reina, doña Juana, estaba en el Alcázar de Madrid seguramente velando el cadáver de su señor padre, o de su padrastro, lo que hubiere sido don Enrique para ella, y llorando por él amargamente. En Madrid, precisamente en la fortaleza más señera y mejor guardada de Castilla, y con el tesoro real en sus cámaras, es decir, a su alcance.

Dejóse vestir doña Isabel por doña Beatriz y doña Mencía e, antes de estar preparada, hizo llamar a Cabrera y le mandó sin que le temblara la voz:

—Comunique su merced al señor obispo que disponga solemne funeral por el alma de mi hermano el rey don Enrique… E apareje caballos con gualdrapas negras que, nos, iremos a la iglesia de San Miguel a presidir el oficio…

E Cabrera obedeció, porque a la ciudad habían llegado ya

muchas gentes de linaje y otras de baja condición. E, cuando la comitiva estuvo dispuesta, él mismo dio orden de abrir las puertas de la fortaleza.

Isabel abandonó el castillo muy erguida en su caballo, la mirada al frente, severo el rostro, desbocado el corazón, tentándose el pecherito de reliquias que llevaba prendido en el jubón y pidiendo favor a los ángeles que le habían hecho hueco en el camino hacia el altar de la casa de Vivero años antes.

La anciana marquesa de Alta Iglesia ordenó revisar los baúles de doña Leonor de Fonseca, que llevaban más de veinte años cerrados. Mandó lavar la ropa de cama y mesa. Contó los vasos, fuentes, platos y demás enseres de la vajilla de plata de la dama y quedóse satisfecha, pues que había suficiente para el ajuar de sus dos bisnietas, máxime cuando habían de vivir juntas, aunque también hubiera habido para tres que tuvieren que vivir separadas. Y no fue cicatera, lo dijo, comentó que los Fonseca de Compostela habían sido rumbosos a la hora de dar. El único inconveniente que halló fue que en la ropa y el menaje estaban bordadas o grabadas las armas de los Téllez y los Fonseca, pero, como al preguntar a María de Abando, que seguía ejerciendo de alcahueta para ella, conoció de primera mano que los Torralba, aunque habían solicitado carta de hidalguía, todavía no tenían escudo de armas, no dio mayor importancia al negocio, pensando que cuando lo tuvieran, lo bordarían en la ropa, y amén. Y, en otro orden de cosas, llamó al judío Yuçef para que le hiciera traer dineros de Milán y de ese modo andar sobrada.

Los mozos Torralba, conocedores de las negociaciones de bodas que llevaba su madre, ya no se limitaban a saludar a las dos gemelas cuando regresaban a su casa, sino que, como buenos galanes, descabalgaban e se quedaban en la ventana del piso bajo esperando a las marquesitas, y presto enviaron a sus prometidas billetes de amor, como hacían los donceles de noble casa. Por ello, o quizá por la novedad, las muchachas andaban por la mansión alocadas, arrobadas y asaz nerviosas.

La bisabuela, que las dejó ser cortejadas en las ventanas, se preguntaba si el sentimiento que demostraban sus bisnietas era amor y hacía votos para que lo fuera. Las animaba a contestar a los billetes, les decía lo que había oído de labios de don Beppo, lo que ella le había dicho a su amado respondiéndole o anticipándose a sus palabras e, cuando no se le ocurría nada, les dejaba los libros del Dante y del Petrarca para que tomaran de allí.

En otro orden de cosas, llegó a contratar a diez costureras para que les cosieran cinco vestidos a cada una, e ropa interior, jubones, enaguas y bragas y calzas, dos zapateros para otro tanto, y un peletero para que les hiciera un manto de piel de zorro a cada una. Además, en todo momento se ocupó de que fueran bien aviadas e con rojete en las mejillas para resaltar sus encantos.

Durante el tiempo en que sus descendientes andaban con los Torralba en la ventana, cada una en una, platicando con su prometido, nunca juntas, pues las cosas del amor son privadas, ella hablaba con Catalina. Y por no mentar el negocio de las bodas, pues sabía que la cocinera no aprobaba aquellos matrimonios por el hecho de que los novios eran descendientes de judíos conversos, la interrogaba sobre otro asunto, a sabiendas de que la respuesta habría de resultarle asaz dolorosa:

—¿Mi hija, doña Ana, me nombraba alguna vez?

E la cocinera guardaba silencio, ya fuera por vengarse de la señora que estaba dispuesta a maridar a sus bisnietas con los peores maridos que se pudiera encontrar a unas cristianas en toda la tierra de Castilla, ya fuera porque no se atrevía a decirle la verdad. Pero la dama insistía:

—Catalina, ¿mi señora hija hablaba alguna vez de mí?

E la sirvienta hacía como que no oía y se marchaba a sus faenas, a dar de comer a las gallinas o a sus fogones.

Entonces, doña Gracia reclinaba la cabeza en el sillón y suspiraba. Hasta que subían las niñas, muy alegres, y se quitaban la palabra de la boca para contarle:

—Abuela, Andrés me ha susurrado al oído palabras de amor…

—¡Abuela, Martín me ha tomado la mano!

—He hecho lo que me dijiste, he dejado caer el pañuelo en el alféizar de la ventana y Andrés se ha arrodillado para entregármelo…

—A mí, Martín, me ha traído una flor; creo que llevas razón cuando aseguras que la mirada del amado encandila… Cuando se ha ido me he quedado vacía y, pese a ello, radiante de alegría…

—¡Ah, el amor es perturbador…! Me huelgo de que estéis enamoradas, hijas… Que a mí me casaron con don Pedro e sólo le tuve respeto… —sentenciaba la bisabuela acercándose y retirándose los espejuelos de los ojos—, pero es mejor amar sin reticencias…

Claro que a veces pasaba del amor a otros temas súbitamente, desconcertando a sus bisnietas pues, como si se le fuera la cabeza, cambiaba de conversación:

—Cuando estéis casadas volveré a Milán a buscar los cuerpos de mis dos maridos para enterrarlos en el altarfino de la Catedral… Ya os tengo dicho que yo en medio y ellos a mis lados, don Beppo a mi derecha, don Pedro a mi izquierda… Llevaré también los cuerpos de vuestra madre y de mi hija, que yacen en la iglesia de San Juan…

En otros momentos, cuando las gemelas abandonaban la habitación, se recordaba a sí misma con veinticinco años menos, perdidamente enamorada de don Beppo. Apoyada en el dintel de una ventana de la legación castellana en Milán, mirando a los que entraban y salían del palacio ducal, morada de su caro amigo, pues que así se le presentó el caballero: «Yo soy don Beppo de Arannola, vuestro caro amigo, señora mía»… Ora alegre al adivinar en la lejanía, o imaginar tal vez, el airón de plumas con que su amado se adornaba el sombrero, ora triste de no verlo, secándose una lágrima que le venía a los ojos con motivo, pues que anhelaba su presencia en la lontananza que fuera. A menudo arrebatado el corazón y recitando los versos del maestro Dante, como si oraciones fueren, tratando de paliar su propia angustia, y a la par disfrutando de su pasión, quizá mucho más de lo que hubiera gozado dueña honrada con aquel amor...

—En fin, en fin... ¡Dejemos el tiempo pasado!

La bisabuela, pese a que en algún momento la mente le iba y le venía, estuvo a la altura de las circunstancias y cruzó varias cartas con la viuda Torralba para ajustar las capitulaciones matrimoniales. E como la otra dijo a todo que sí, aunque sugirió una ceremonia con poca gente y siquiera planteó la cuestión de cuál de las dos novias habría de heredar el marquesado, llegó el día en que, avanzadas las negociaciones, tras consultar sus muchos pergaminos, hacer cuentas y recibir dineros del judío Yuçef que se los había traído de Milán, a primeros de diciembre la recibió en el gran comedor al amor del fuego de la chimenea, bajo la atenta mirada de don Beppo.

Lo primero que observó doña Elvira fue el retrato del condotiero, pues alzó la vista y lo vio. Luego los ricos reposteros que adornaban las paredes, los muebles de nogal, el magnífico cristal veneciano de las lámparas, los muchos velones, la capilleta, el artesonado del techo, etcétera y, tras preguntarle a doña Gracia por su salud, guardó respetuoso silencio, es decir, que esperó a que la otra le hablara, lo que a veces no hacían sus descendientes. E claro, la marquesa inició la conversación:

—Con lo que heredaron mis nietas de sus padres y con lo que yo les dejaré, cada una dispondrá de cinco millones de maravedís al año. Leonor tendrá, además, las rentas de la villa y el castillo de Alta Iglesia, Juana la de Alaejos, y esta casa quedará para las dos en pro indiviso... Antes del matrimonio firmaremos separación de bienes y se administrarán por sí mismas o por quienes ellas designen... Vuestros hijos tendrán lo suyo para sí, de libre disposición, lo mismo que mis nietas, con la salvedad de que si una de las partes llega a peor fortuna, Dios no lo permita, el otro, el marido o la mujer, estará obligado a atenderle en sus necesidades acorde con el rango… El título del marquesado también quedará pro indiviso a la espera de que mis nietas decidan, pues que son gemelas, como bien sabéis, e no se sabe cuál de las dos nació primero…

—Mis hijos traerán cada uno de renta anual dos millones de maravedís, e campos en Ávila y Segovia, e juros de heredad…

—Bien, con eso podrán vivir muy holgadamente, acorde con su noble posición…

Y en esos negocios estaban la bisabuela y la madre de los prometidos, juntándose a la caída de la tarde, tomando refrigerio cuando daban las siete en el reloj de la iglesia de San Juan, y yéndose contentas a la cama. La viuda Torralba porque iba a emparentar con gente de prosapia, la anciana marquesa porque iba a casar a sus bisnietas, pero hubieron de interrumpir los tratos… En razón de que el día 12 de diciembre, antes de que cantaran los gallos, se oyeron voces en la calle de los Caballeros y los vecinos se asomaron a las ventanas. Voces que gritaban:

—¡El rey Enrique ha muerto!

—¡Castilla por doña Isabel!

Doña Gracia dejó entonces sus asuntos para rezar por el muerto y por la princesa que, dado el estado de las cosas, falta le hacía.

En el invierno de 1474 María de Abando seguía sin atreverse a poner a la venta las virtudes del saquete de María de Ataún, que movía al acto carnal, como va dicho. Miedo tenía de que fuera a organizarse jaleo en la población de Ávila, pues las brujas y hechiceras comenzaban a estar mal consideradas y a ser temidas, en razón de que los predicadores la habían emprendido contra ellas desde sus púlpitos tanto o más que contra los judíos.

Sopesó su situación la moza y se dijo que desde su llegada a la ciudad, iba para diez años, se había limitado a vivir el día a día, sin pensar en el futuro en una ermita de poco más de una vara de largo por una de ancho, a dormir en un colchón, a taparse con dos mantas, a recogerse en la alberguería de Santa Ana las noches frías, a acaparar dinero, a rechazar una y otra vez a Mingo, no fuera a parir un demonio, y a recordar las palabras de la bruja de Portugalete cuando le venía a las mientes el contador:

—Los curas y los frailes se entregan a Dios, nosotras las brujas al Diablo...

A más, que le entró el gusanillo —el prurito, hubiera dicho de ser persona letrada— de que se malempleaba en la ermita del Santo Cristo pese a que andaba más aparroquiada que nunca y a que disfrutaba vendiendo a mozos y mozas hechizos de amor por unas cuantas blancas. Más o menos de este modo:

—Mira mozo, durante nueve noches seguidas enciendes tres candelas en tu casa, una para Nuestra Señora, otra para San Juan y otra para San Pedro. Te sientas en un escabel mirando a levante, pronuncias el nombre de tu amada y rezas un avemaría para que se consuma más tarde la vela de San Juan, el día en que tal suceda irá tu amada a tu casa...

—¿E se rendirá e me dejará hacer con ella lo que se hace con mujer?

—Eso ya no lo sé. Sé que irá y lo más posible es que te pida matrimonio, que es lo que hacen las mujeres honradas...

—¡Ah, ya!

—¡Anda, son veinte blancas...!

O:

—Tú, moza, echa flores de verbena en la puerta de su casa... Te pones de espaldas, mirando al este, arrojas nueve flores y pronuncias el nombre de tu amado... Si lo quieres loco de amor espérate a la noche de San Juan...

—¡Falta mucho para San Juan!

—Ve haciéndolo…

—Oye, ¿no me puedes dar otro conjuro? Mi madre no me deja salir sola de casa, no puedo ir al monte a recoger las flores…

—¿No vas a la fuente a buscar agua como todas las muchachas?

—¡Sí!

—Pues te escapas… Vas corriendo… Te he dado mi mejor hechizo… Son veinte blancas…

O echaba las suertes con las habas:

—Yo os bautizo, habas, por Jesús, hijo de David, que sufrió y murió en la vera Cruz… ¿Cómo se llama?

—Se llama María…

—¡Igual que yo! Si María me ama salga conmigo, si no, me vuelva la espalda…

—Yo no quiero que me vuelva la espalda…

—¿Quieres dejarme hacer, pardiez? Dicen las habas que cojas un manojo de ruda, otro de hinojo y un sapo muerto. Te presentas de noche en casa de María, buscas un agujero en la puerta, lo metes todo bien apretado y nueve días después le prendes fuego…

—¿Y si se quema la casa?

—No se quemará la casa porque no tienes que llevar un carro de hierbas, sino un manojo, es decir, lo que te quepa en la mano, eso es un manojo, ¿entiendes? Son treinta blancas…

—¿Treinta? Te doy diez. Te debo veinte…

—Me debes veinte, ¡ah, perillán! ¡Si no me pagas te mandaré mal de ojo! ¡Acuérdate todos los días al despertar de que la Niña del Cristo de la Luz espera tus veinte blancas!

E se divertía, pero ya fuera porque le sonreía la vida y ganaba mucho dinero o porque necesitaba preocupaciones, el caso es que un gusano le corroía y no la dejaba estar. No se quitaba de la cabeza que desperdiciaba su talento echando las suertes o vendiendo secretos de amor, es decir, contentando a una clientela que no le pedía nada serio, que ya no la llamaba «santa», sino la «niña» a secas, cuando le hubiera gustado hacer las grandes magias que era capaz de hacer, como la de los príncipes y, la última, levantar tormenta.

Y, tentando las manitas del niño malparido que había heredado de su antigua maestra, suspiraba porque le fuera algún paciente con una mordida de perro, o a preguntarle qué piedra le haría mayor bien para llevarla de talismán, si la cornalina o la que aparece en la mar, o con temblores o a que le quitara los demonios…

Y en ésas estaba dudando de lo que hacía y de lo que no hacía, cuando una tarde, a últimos de noviembre, un mozo, otro, que no el Mingo, un dicho Perico, la distrajo de sus pensamientos, pues comenzó a rondarle y a decirle a voz en grito para que se enterara la gente de Ávila y de los arrabales, al parecer:

—¡Donosa! ¡Culo prieto!

El muy marrano, que no son maneras de empezar.

A partir de entonces, entre las siete y las ocho de la tarde, se presentaba en la iglesuela el tal Perico, que era leñador, y entre las nueve y las diez el Mingo, que era contador. Y ella, que hubiera querido acercarse a la taberna de Petra Aldana y echarse al coleto un vasico de aguardiente para quitarse el frío del cuerpo y descansar mejor, no podía salir de casa no fuera a pretender quitarle la virtud aquel granuja, y cavilaba:

—La virtud no, que se la di al Mingo… Pero no vaya a violentarme este Perico…

Porque el mismo día en que llegó el Perico con sus voces se sintió sofocada y a la semana de mala luna, en razón de que los mozos la tenían emprendida contra ella y no la dejaban vivir. Que al Mingo le había regalado un jaco albazano y buen escarceador para que se fuera lejos y, el muy necio, se lo había dejado quitar. Que el Perico, un hombrón, le daba miedo pues metía sus largos brazos por la verja de la ermita y tan chico era el lugar que la asustaba. No obstante, como mujer que era, a ratos le gustaba que los mozos fueran a su casa a pedirle esto o estotro o sencillamente a visitarla o a llevarle un bollo o un caramelo de miel, o a requebrarla o a platicar con ella, pero otros no, porque se le había metido en la cabeza que se estaba malempleando en aquel lugar. Y se recriminaba por ser indecisa, por haber cumplido veintitrés años y depender de la hermana Miguela, por no tener casa propia que le proporcionara intimidad, pues que en la ermita había de vivir de cara a los que miraban lo que había dentro. A más siempre bajo los ojos del Cristo, el más mirón de todos, sonriendo a veces sin gana cuando le llegaba un hombre o una mujer, ya le pidiera que le echara las suertes o que le remediara la cargazón de cabeza. Siempre con el Perico y el Mingo que, comiéndosela con los ojos, le decían:

—¡Ea, amor, vente conmigo al bosque!

—¡Te haré creer que estás en la gloria!

—¡Ven y verás, que no necesito yo tus mejunjes para deleitarte…!

Y, uno entre las siete y las ocho, otro entre las nueve y las diez, se bajaban las bragas. Y ella a veces se reía porque el relente les dejaría el miembro helado, pero otras no, que le resultaba tedioso ver lo que comúnmente se tapa.

Para quitarse los colgajos de varón de la cabeza, a menudo llamaba a la puerta del convento de Santa Ana e le decía a la hermana Miguela que tenía que hablar con la abadesa para pedirle el caballo del Mingo, pero la superiora no deseaba hablar con ella, al parecer, pues que no bajaba al locutorio ni que dijera que la llamaba Dios. Y, como no eran modos ni maneras de tratarla porque había sido leal con la priora, salvo en los dineros que le venía escamoteando, una noche le envió un dolor de muelas para que la llamara al día siguiente a que le remediara el sufrimiento, que la dama tenía la boca perdida. Y así fue, la abadesa la llamó a su presencia para que la aliviara y se la llevó con ella en su viaje a Segovia, a la proclamación de la princesa Isabel como reina de Castilla, León, etcétera, pues que, cuando cantaron los gallos anunciando la amanecida en la ciudad de Ávila, se supo que el rey Enrique había fallecido de mal de ijada, Dios lo acoja en su seno por siempre jamás.

María no desaprovechó la ocasión para pedirle a la priora el caballo y tornárselo al Mingo, que cabalgó parejo a ella, con la prestancia del mejor de los caballeros.

7

En la iglesia de San Miguel de Segovia hubo grande bullicio, y los pajes de las familias nobles de Castilla discutían entre ellos por distribuir escabeles para que se sentaran sus señores en el funeral del difunto rey Enrique.

Catalina, la criada de doña Gracia Téllez, ayudada por las dos esclavas moras, hubo de porfiar con mayordomos y camareros y, vive Dios, alzar la voz en lugar sagrado a un canonje que pretendía organizar aquel desorden, para dejar claro que su señora había jurado a la princesa Isabel en la concordia de los Toros de Guisando la trigésima nona de todos los linajes del reino, e resultó que, como allí no había otras familias de mayor alcurnia, la anciana y sus bisnietas fueron instaladas en primera fila. La cocinera recibió por sus buenos oficios un apretón de manos de la dama y dos sonoros besos en las mejillas de las marquesitas, que entraron y se sentaron en lugar preferente, muy ufanas. Y es que doña Gracia, al enterarse del fallecimiento del rey, había dicho:

—Las Téllez no podemos faltar al regio funeral.

Y naturalmente hicieron el equipaje, contrataron a los mismos carruajeros que las habían conducido a Valladolid para las bodas de Isabel, y emprendieron viaje apriesa, apriesa. Y allí estaban sentadas en primera fila, esperando la llegada de la señora princesa, que era aclamada por la calle de Subida del Alcázar, o de Bajada, según se mire, flanqueada por sus oficiales y sus damas.

Entró primero toda la clerecía de la ciudad, que había aguardado a la señora en el atrio de la iglesia: el obispo, los canonjes, muchos abades, entre ellos fray Tomás de Torquemada, prior del convento de Santa Cruz, cuyos sermones habían ido a escuchar las Téllez cuando se desplazaba a Santo Tomás de Ávila —ambos monasterios de los dominicos—, y muchos otros venidos de fuera. Entre las monjas, la abadesa de Santa Ana de Ávila, acompañada de su inseparable María de Abando, dicha la Niña del Cristo de la Luz, ambas también conocidas de las marquesas.

Y ya venía Isabel, vestida de negro de los pies a la cabeza, ya atravesaba la puerta y se encaminaba a un sitial que le habían preparado en el lado del evangelio, ya sus damas se distribuían detrás de ella, ya las tropas de Cabrera con las lanzas a la funerala las rodeaban a todas, ya los nueve celebrantes entonaban el salmo *De profundis*. Ya venía una lágrima a los ojos de Isabel, a los de las tres marquesas de Alta Iglesia, a los de la abadesa de Santa Ana y a los de María de Abando, que estaban situadas al final de la iglesia...

Ya las cuatro mujeres, que habían jurado las primeras al malogrado rey de Ávila, respiraban con ansiedad como si se hubiera espesado el aire de la iglesia de San Miguel. Ya las cuatro sabían, sin que nadie les dijera nada, ni les comentara, ni les abriera los ojos, que allí estaban las otras tres, y eso que no se habían visto entre sí. Ya las cuatro pensaban en milagros, en magias, en casualidades, en afinidades, en coincidencias, en las anteriores juntas que habían tenido o sufrido o padecido por alguna razón desconocida, o sin razón alguna. Ya las cuatro cavilaban, cada una para sí, que era menester hablar y aclarar el porqué de aquella angustia que les hacía respirar mal, como si

73

el aire se espesara en su derredor cuando estaban en el mismo lugar, y eso que, salvo las dos gemelas, no sabían que a las otras les sucedía otro tanto.

Finalizaba el funeral e Isabel, con mucho arrebol en las mejillas, se alzaba del reclinatorio, se sentaba en su sitial e, rodeada de todo su séquito, recibía los pésames de los asistentes.

El primero el de doña Gracia Téllez y sus dos nietas, que rojas de cara como las amapolas de los campos y respirando mal, se inclinaban. Isabel se llevó la mano a la garganta, se aclaró la voz y les musitó al oído:

—¡Enhorabuena por vuestras bodas, marquesas!

Tal les dijo, cuando hubiera querido preguntarles si sentían también un nudo en la garganta al estar las tres juntas y la moza que iba en el séquito de la abadesa de Santa Ana. Pero, vaya, debió de darle reparo hablar de aquella desazón o consideró que no era lugar ni momento y, en efecto, no lo era.

Y ellas, las mancas, ay, que, de ser preguntadas por la angustia, le hubieran respondido que la sentían mismamente, no pudieron articular palabra y bajaron los ojos con humildad. Lo mismo María de Abando, que también padecía el ansia de las otras y que no la remedió pese a apretar en su mano el saquete de las manitas del niño malparido de María de Ataún que llevaba al cuello.

E otra asfixia sufrieron las cuatro mujeres en la jornada siguiente. Cuando Isabel, habiéndose desprendido del luto del día anterior y vestida de armiño y otras mil preciosidades e muy enjoyada e pintada de cara y hasta perfilados los labios, se personó con mucha compaña en el atrio de la iglesia de San Miguel, donde Cabrera había alzado un túmulo muy ornado con colgaduras y asentado el trono de la sala de reyes del Alcázar para Isabel, que venía mayestática en un alazán, precedida de heraldos asonando timbales y trompetas. Para Isabel, que se apeaba del bicho, antes de que le tuvieran sus oficiales el estribo, y se

74

sentaba en el trono e recibía de manos de Cabrera, que lo hacía todo, la espada de los antiguos reyes de Castilla, depositaria de la soberanía regia… Y era aclamada y vitoreada:

—¡Castilla, Castilla por el rey don Fernando e por la reina doña Isabel, su mujer, propietaria destos reinos!

E, aunque respiraba mal, como ya había averiguado dónde estaba la causa, se holgó en ese día que fue el más importante de su vida toda.

Las tres marquesas de Alta Iglesia regresaron a Ávila tras asistir a la proclamación de Fernando e Isabel como reyes de Castilla, León, etcétera, e siguieron con sus labores.

Las mozas festejando con Andrés y Martín Gil de Torralba a través de las ventanas del piso bajo o a la salida de misa. La anciana ajustando los capítulos matrimoniales de sus descendientes con doña Elvira, que estaba como unas pascuas, y decidiendo la fecha de la boda: el próximo 8 de mayo, día de San Miguel Arcángel, la que quiso la dicha viuda. Lo único que le dejó hacer doña Gracia a su interlocutora, elegir la fecha, el día del cumpleaños de su marido, del Pedro Gil, a más de celebrar el banquete en su casa.

La dama, haciendo caso omiso a la sugerencia de la viuda Torralba, que deseaba una ceremonia familiar, libró invitaciones anunciando e convidando al acontecimiento a todos los linajes de Castilla, incluso a los señores reyes. E fueron llegando regalos, muchos regalos y, vaya, excusas para no asistir. Resultó que toda la nobleza del reino estaba enferma, de donde se podía colegir que si los reyes la necesitaban para hacer la guerra a los partidarios de la Beltraneja, se quedarían solos. Pero no era tal, no; era, según las niñas, que eran mancas y, según la bisabuela, que los nobles le echaban en cara que hubiera amado al condotiero. Y hablaban entre ellas con amargura:

—Abuela, los nobles creen que lo de nuestras manos es cosa maléfica…

—Del diablo tal vez…

—¡No digáis sandeces, hijas mías! Si no vienen es porque me recriminan haber amado con pasión a don Beppo. Porque el loco amor pasa recibo, y ellos no entienden cómo no regresé a llorar a don Pedro vestida de negro de los pies a la cabeza, mismamente como hacen las viudas en Castilla…

—¿No entienden que se ame con pasión?

—¡No, rebajan la pasión al hacer el mal, a practicar vicios, a yacer con mujer ajena, a comer, beber, mandar y a acaparar riquezas!

—¡Eso no es pasión, es pecado!

—Dices bien, niña… ¿Qué ha regalado el Almirante?

—Cuatro tazas de plata…

—¿Y el duque de Alba?

—Dos perros cazadores muy buenos.

—¿Dos perros? Aquí no queremos perros… Que se los lleven las moras a los Torralba…

—Lo que tú mandes…

—¿Y el conde de Benavente?

—Dos tapices.

—¿Y la marquesa viuda de Villena?

—¡Nada!

—La hija bastarda de don Juan Pacheco, la condesa de Medellín, ha enviado dos cerdos negros…

—¿Dos cerdos?

—Dice Catalina que son mejores que los blancos y que los mataremos para san Martín, cuando estén bien cebados…

—¿Y el conde de Paredes?

—Don Rodrigo Manrique no ha enviado nada. Pero en su carta dice que vendrá su hijo don Jorge a la ceremonia…

—¿Don Jorge, el que es trovero?

—¡Sí, y además es trece de la orden de Santiago!

—¿Y los Pimentel?

—Estos condes han remitido un cofre lleno de pastillas de jabón de almendra…

—¡Nos vendrá bien! ¡Es un regalo caro!

E con esas cosas del loco amor, de que tenía la culpa ella, y con los regalos, doña Gracia distraía a sus bisnietas del asunto de su manquedad. Pero la única que decía la verdad en aquella casa, en las cocinas o en los corrales, era Catalina, que andaba murmurando que si los nobles no querían asistir a la ceremonia era debido a que los novios eran descendientes de Ibrahim Abenamar, judío converso. Y les contaba a las esclavas:

—¡No vienen porque los novios son judíos y no van a bendecir semejantes bodas con su presencia!

Tal decía, aunque a Marian y Wafa les daba un ardite, por lo ya comentado, y a Leonor y a Juana otro, por lo dicho también, y porque aún, al irse a la cama, rezaban un paternóster al Señor Jesucristo y al Señor Alá lo que fuere, con las manos abiertas sobre el pecho y arrodilladas en una esterilla.

Veinte días antes de las bodas, la anciana marquesa convocó a sus bisnietas para una cuestión que llevaba dándole vueltas en la cabeza. En concreto, para hablarles del acto carnal. Pensó que ya que a ella no le había dicho su madre palabra, mejor las doncellas fueran avisadas y así evitarles sorpresas pero, lo que son las cosas, la sorprendida fue ella. Y sin entrar en detalles, dijo sencillamente:

—No os asustéis, hijas mías, al ver el miembro viril, que es obra de Dios, y casi siempre inofensivo…

Las gemelas enrojecieron y exclamaron a la par:

—Ya sabemos qué es y para qué sirve…

E la bisabuela y las criadas se quedaron pasmadas. ¿Cómo podían saberlo si no habían salido de casa, si no habían convivido con varón, si no habían tenido hermanos?

—¿Cómo puede ser? —preguntaron las cuatro al unísono.

Y las muchachas explicaron que habían visto el miembro del

77

cura, de aquel Mendo Gutiérrez, el que había vivido un tiempo en la casa con la Garcesa, la sacristana, cuando ellas eran niñas, muy niñas. La anciana, que no sabía nada de que hubiera habido un morador en la casa, además con barragana, pidió cuentas a las sirvientas que, alborotadas, se hacían cruces pues que habían mantenido a aquellos molestos huéspedes lejos de las niñas, y sostenían con vehemencia:

—¡Imposible!

Pero las muchachas insistían:

—La Garcesa nos lo explicó…

—¿Cuándo?

—¡Un día, un día cualquiera!

—Un jueves, un miércoles…

—¡Alá la ciegue!

—¡El Profeta le niegue la entrada en el Paraíso, maldita!

—¡Aquella puta!

—¡Ea, ea, no hagamos un drama! ¡Los niños se enteran de estos negocios por los criados! —intervenía la bisabuela.

—¡Pero, señora —interrumpían las sirvientas muy enojadas—, nosotras, las sirvientas, no les hemos dicho nunca nada! ¡Vigilamos, y hasta echamos a la pareja de casa!

E, vaya, que aquella noche Catalina y las dos moras se fueron cariacedas a la cama con enorme decepción porque habían puesto todo su cuidado, habían vigilado de día y de noche y hasta habían cambiado sus hábitos de vida y sacado a las niñas a pasear por la ciudad, para nada. Se acostaron, la Catalina entonando el *mea culpa*, las moras lo que rezaren.

Ni los huesecillos del niño malparido de María de Ataún serenaron el ánimo de la Niña del Cristo de la Luz ni le hicieron favor mientras estuvo con la priora de Santa Ana en la iglesia de San Miguel de Segovia asistiendo a la proclamación de doña

Isabel como reina de Castilla, Dios allane su camino, porque le vino la angustia que le aparecía siempre que se juntaba con la ya reina y las dos marquesas de Alta Iglesia. A eso hay que añadir que el Mingo había aprovechado la ocasión para palparle el trasero en aquellas estrecheces, como siempre que se la encontraba, pues no valía que le rogara:

—¡Ay, Mingo, déjame estar!

Ni que le espetara al Perico palmariamente:

—¡Ay, Perico, vete al infierno!

Así las cosas, rechazando a sus pretendientes, una mañana fuese a una charca próxima a buscar sapos, y regresó con una buena cantidad dispuesta a hacerse untura mágica y a embadurnarse con ella, nada más fuera para salir del tedio en que vivía. A la noche siguiente, después de que se largaran sus cortejadores, se tendió desnuda en el colchón a los pies del Santo Cristo, tentó tres veces las manitas con la mano derecha y otras tantas con la izquierda, se untó la media parte izquierda del cuerpo de los pies a la cabeza, se tapó con la manta y esperó resultados, no muy convencida de la bondad del ungüento pues hacía tiempo que no practicaba con él.

Y, en efecto, le vino calor, mucho calor. E, como hacía cuando se embadurnaba en compañía de su madre, pensó qué hacer aquella noche, si tornarse invisible, si viajar a Jerusalén o encarnarse en ave. Mejor tornarse invisible, se dijo, porque había conseguido hacer tal conjuro a satisfacción antes de perder sus aptitudes, pero a poco, quizá porque no dominaba la situación o porque estaba desacostumbrada, se descubrió volando por el negro cielo como un ave de Dios con la mayor desenvoltura. Y volara verdaderamente —que siempre había dudado que las brujas surcaran los cielos— o lo imaginara o lo soñara, que lo mismo es, el caso es que recorrió la ciudad de Ávila y sus arrabales por los aires, como si fuera un ave nocturna, un búho quizá, moviendo mayestáticamente unas espléndidas alas de rapaz. Y fisgoneó en las casas a través de las ventanas y, por hacer chanza, entró en varios corrales soliviantando a las gallinas. E en la casa Torralba miró en el pozo y hasta llamó al posible espectro y, vaya, fuera cierto o no fuera cierto que se había tornado en ave merced al efecto de la untura mágica, el caso es que se divirtió como en mucho tiempo, como cuando asistía a los aquelarres en su tierra, y además se despertó al día siguiente sin un atisbo de fatiga, y eso que había volado de la ermita del Cristo de la Luz hasta la puerta de la Espina, y vuelta a casa. Y fuera todo causa de la untura o de su imaginación, o sencillamente un bonito sueño, se decantó por repetir la operación en el futuro, contenta, muy contenta otra vez, pues que sabía hacer grandes magias.

Volara o no volara, la experiencia le vino bien, en razón de que por unas horas no había estado limitada por cuatro paredes, como le sucedía en las estrecheces de su casa, donde se decía que había dejado de ser lo que había sido por falta de espacio, pues en aquella ermita de dos varas cuadradas escasas no podía sacar ni su olla. Si desenrollaba el colchón en el suelo, no daba un paso, si lo recogía debajo del banquillo daba dos pasos, nunca tres; si sacaba las cosas de su talego y las extendía, nada más fuera para evaluar sus pertenencias, se tenía que salir. Otrosí cuando alguna persona iba a llevar presentalla al Cristo, e menos mal que había clavos para colgar el brazo o la pierna de cera que trajera el oferente, que de otro modo nunca hubiera podido vivir allí. Pero eso no era, necesitaba espacio para hacer sus grandes magias.

Por eso recorrió Ávila de punta a cabo, decidida a encontrar casa. Una casa con pozo, dos habitaciones, cocina, corral y a ser posible sobrado para poner un palomar, pues de ese modo tendría sangre de pichón para contrahacer virgos de mujer y no tendría que personarse al alba en el matadero municipal a comprarla. Dos habitaciones, una para dormir en cama blanda, ya que pensaba adquirir dos plumazos de lana, y otra para sus ollas, hierbas y piedras. E una cocina amplia con un buen fogón para calentarse en invierno.

Y eso, andaba por la ciudad preguntando en las tiendas si sabían de alguna casa en venta o en alquiler, mejor en venta. E las comadres que la conocían le preguntaban para quién era la casa, e las que no la conocían también. María contestaba que para ella, que era mujer sola. E muchas de aquellas alcahuetas se hacían cruces de cómo una moza tan lozana y garrida no se hubiera casado aún cuando tenía años más que suficientes, cuando incluso se le estaba pasando la edad, y querían saber qué oficio tenía. Las que no la conocían y las que la conocían se demandaban por qué dejaba la ermita si allí se ganaba tan bien la vida, aunque hubiera de partir con la abadesa de Santa Ana. Y las comadres, la conocieran o no la conocieran, la interrogaban sobre si tenía novio y si se iba a casar, pues que entonces hubieran entendido que buscara casa.

Y, entre unas y otras, preguntándole y aconsejándole, la enviaron a casa de un judío, un tal Yuçef, que vivía por la sinagoga mayor, el cual, viendo negocio, la recibió enseguida y la acompañó a ver dos casas de su propiedad. Ambas intramuros, una sita en la calle de la Marrana, en el barrio judío, y otra en la calle de las Losillas, cerca del hospital de Santa Escolástica, con tres habitaciones con ventanas a la calle y sol de tarde.

Ésta fue la que alquiló María, pues el judío no la quería vender, e hizo bien por la situación, a dos pasos de la puerta de Montenegro, de espaldas a la iglesia de Santo Domingo, y por el sol. Amén de que estuvo muy oportuna porque al regresar a la ermita se encontró con un pregonero que al son de dos trompetas leía sentencia de la Audiencia de Valladolid sobre la propiedad de la ermita del Cristo de la Luz que, claro, iba con ella.

8

Isabel y Fernando fueron proclamados soberanos de Castilla, León, etcétera, por aclamación. Al uso de aquellos reinos, donde no era menester jurar sobre los santos cuatro evangelios ni ser coronado ni ser ungido, como sucedía en Aragón, por ejemplo. E la otra princesa, la Beltraneja, no fue aclamada por nadie, siquiera en el Alcázar de Madrid, donde lloró con su madre la muerte de su padre o padrastro, lo que hubiere sido el rey Enrique para ella, pues tras encomendarla a los nobles que le habían rodeado en sus últimas horas para que la casaran bien, el hombre se había llevado el secreto de su paternidad o incapacidad para procrear a la tumba.

Así las cosas, comenzaron a llegar a Segovia los nobles que no habían estado presentes en la proclamación de la señora Isabel e le rindieron pleitesía todos: el arzobispo de Toledo, los Enríquez, los Haro, los Alba, los Manrique, los Mendoza, los maestres de las Órdenes, uno por uno conforme llegaban, incluido don Beltrán de la Cueva, el presunto padre de doña Juana. Todos excepto los Pacheco, los Stúñiga y el maestre de Alcántara.

E se juntaron las gentes de los grandes linajes e decidieron servir, los más, a don Fernando. A don Fernando, en primer lugar, puesto que era varón, y servirle a él llevaba implícito obligarse con su esposa con el mismo celo o más si cabe, pero como esposa, nunca como reina propietaria, aunque lo fuera por nacimiento. En razón de que las mujeres no pueden reinar y deben ceder sus derechos a los maridos, pues por su natura femenina son volubles e inconstantes y las más de las veces lo enredan todo. A más, que tienen hijos y no pueden mandar los ejércitos ni hacer la guerra.

Los prohombres se reunían en torno a un jarro de vino e enumeraban a las antiguas reinas propietarias de Castilla: a Ormisenda, Ufenda, Sancha y Berenguela, las que entregaron la soberanía a sus maridos o hijos y, ay, a Urraca que, empecinada hasta el desvarío, no cedió e fue desastre. Y convenían, pues que el negocio era asunto de todos, en que mejor haría Isabel transfiriendo su herencia en vez de ejercer el poder real, y entraban en hablas de Urraca sosteniendo que fue pública meretriz y otras lindezas, y sacando los pies del tiesto, bromeaban de esta guisa contra las mujeres:

—Son volubles.

—Inconstantes.

—No crean sus mercedes, que a veces se comportan como verdaderas fieras…

—La fiereza o el coraje a veces lo emplean mal.

—A la mujer romeriega, quiébrale la pierna.

—A la mujer brava, dale soga larga.

Aunque nunca faltaba el disidente que contradecía a todos:

—Dirán sus mercedes lo que quieran, pero la mujer buena, de la casa vacía hace llena.

E, entre vaso y vaso, comentaban que don Fernando –que no quería ser mero rey consorte, como había manifestado reiteradamente antes de firmar las capitulaciones de Cervera– pensaba lo mismo y que no detenía las hablillas de sus secretarios que sostenían otro tanto, pues es sabido que los hombres ante una copa de buen vino conversan de caballos, de espadas, de moros y de mujeres, y que de moros y mujeres dicen barbaridades.

Doña Isabel también hablaba con sus damas de las antiguas reinas de Castilla, y de doña Urraca aseguraba que, posiblemente, entre todos no le habían dejado hacer. Y, en otro orden de cosas, aducía que la mujer no tiene diferencias esenciales con el varón, salvo los bultos del pecho y el aparato reproductor, todo obra de Dios.

Y sus camareras abundaban en sus argumentos asegurando:

—Las mujeres nunca han tenido impedimento para reinar en Castilla.

Isabel terminaba diciendo que compartiría el poder con su esposo mediante pacto, y añadía que estaba esperando su llegada, ansiosa, para que tomara posesión del reino, pues que no había que hacer nada más, en razón de que había sido proclamado rey en ausencia, en solemne ceremonia. E instaba al cardenal Mendoza y al arzobispo Carrillo a redactar un documento para la concordia entre ella, la reina, y su marido, el rey. Una avenencia... Por decir algo, un tanto monta, monta tanto, o semeja frase, que durara hasta que Dios la llamara a mejor vida, porque no pensaba transgredir lo que pactara con su esposo nunca jamás. Consciente de que Fernando firmaría aquello con disgusto, ella le escribía: «No haya temor mi rey y señor en suscribir nuestro convenio... Yo, como esposa vuestra que soy, os obedeceré en todo».

Fernando llegó a Segovia el 2 de enero a la anochecida, con muchas antorchas, cubierto de negro manto del que prescindió por dar color a su entrada en la ciudad al atravesar la puerta de San Martín, antes de que lo recibieran el cardenal Mendoza y el arzobispo de Toledo y de entrar en la catedral donde lo esperaba su regia esposa al pie del altar mayor, quien, ay, le sonrió y se postró de hinojos ante él e tomándole la mano se la apretó. Y, ataviados ambos con ropas magníficas de oro y plata, dieron gracias al Señor por la merced recibida, por ser reyes de Castilla, de León, etcétera. Isabel un tantico amohinada al principio, pues que su marido no le había sonreído ni devuelto el apretón de manos, luego ya apesarada, en razón de que el rey no la miraba, es más, evitaba sus ojos. Sus hermosísimos ojos verdiazules, los mismos que había loado en ocasiones anteriores, incluso más rientes que nunca y, ay, al final de los entrantes de la comida que fue servida en la sala noble del Alcázar para celebrar el acontecimiento, casi a punto de llorar. Al acabar el primer servicio, fue a la letrina, acompañada de doña Clara, que también había contemplado aquellos pequeños desaires:

—¿Qué es aquesto, doña Clara, has visto?

—¡Son cosas de hombre, no hagas caso!

—¿Cómo que no?

—Llévale la corriente…

—¿Cómo?

—Háblale, sonríele, no te des por enterada destas minucias, y cuando llame a la puerta de tu aposento le abres sin la menor dilación…

—¿Tú crees que vendrá? No se ha insinuado siquiera…

—¡Por supuesto, niña!

Doña Isabel, que no podía extenderse más porque allí las paredes oían, se quedó demandándose si acaso le había hecho remilgos a su esposo alguna vez y se interrogó sobre el particular durante varias jornadas, puesto que don Fernando no se presentó en su dormitorio hasta el octavo día de su estancia en Segovia e, de consecuente, lloró más de una vez en brazos de su madrina.

El 15 de enero firmaron los esposos el avenimiento que habían redactado los dos clérigos principales del reino, manifestando que Isabel era la propietaria de la Corona y Fernando su legítimo marido; que los documentos que expidieran llevarían los dos nombres, primero el del hombre e luego el de la mujer; que compartirían unos quehaceres y otros no, como la presentación de obispos y la provisión de alcaides, que quedaban para la reina.

Más tarde, en el mes de abril, Isabel entregó poder a su esposo para que hiciera por ella y como ella, incluso en lo de los obispos y alcaides, aunque no renunció a ninguna de sus atribuciones, sino que compartió lo que se había quedado para ella sola. Gesto al que correspondió Fernando a la muerte de don Juan de Aragón en los sus reinos.

Fue por aquella fecha, en abril de 1475, cuando Isabel, apenas llegada a Valladolid, convocó a doña Gracia Téllez para, amén de honrarla, preguntarle sobre unos negocios que tenía en mente.

👑 👑

Doña Gracia, la anciana marquesa de Alta Iglesia, se presentó en la villa del Pisuerga en una preciosa mañana de abril con sus dos bisnietas e sus tres criadas, e fue a hospedarse en la posada de Garcés Antón, donde los plumazos eran mullidos y no había chinches, según información que le había suministrado el obispo de Ávila. Ya descargaban los baúles los carruajeros que había contratado, cuando se presentó don Gonzalo Chacón con manda de la reina para acomodarla con sus acompañantes en las casas de San Benito el Real, cercanas al río. Y ella, muy honrada por la regia deferencia, se fue con él, no sin dar propina al alojero, que se quedó muy contento pues la señora no le había hecho gasto alguno, y lo que comentó luego con su mujer que así hacen las grandes damas.

Cuando doña Gracia se enteró de que el 22 era el cumpleaños de la reina, es decir, el mismo día de sus bisnietas, pensó en ir a felicitarla, pero lo dejó en razón de que creyó mejor esperar a ser llamada. Cuando supo además que la señora cumplía veinticuatro años, es decir, los mismos que sus descendientes, se quedó bastante perpleja y lo comentó con ellas:

—Sepan sus mercedes que la reina cumple veinticuatro años trasmañana, el día veintidós…

—¡Qué casualidad! —exclamó Leonor.

86

—¡Vaya! —se asombró Juana.

Pero no dieron mayor importancia al asunto, pese a que podían haber empezado a hablar de que al haber nacido en el mismo día tendrían el mismo horóscopo, o al menos muy semejante. Bien mirado, la reina era inmensamente feliz con un marido galano, buen jinete, buen guerrero; con una hija preciosa; con un reino grande, el mayor de la península Ibérica, el mayor de Europa o poco menos; con millones de vasallos que la amaban y la aclamaban en pueblos y ciudades, todos excepto unos pocos, los Villena y compañía, y el arzobispo de Toledo, que andaba con resquemor hacia ella y su señor esposo y era capaz de cualquier traición; con más vasallos que tendría, toda la población de Aragón e sus islas de la mar, al fallecimiento del rey don Juan, sin que nadie, ni hombre ni mujer, le hubiera de disputar la corona.

Y ellas a saber qué futuro tendrían con Andrés y Martín Gil de Torralba, que ciertamente les hacían muchas cucamonas y les regalaban lamines, libros, bronces y telas buenas. Y Martín le decía a Juana de disponer una alfombra hecha de monedas de oro entre las dos casas para que anduviera por ella, lo que nunca se había visto en la ciudad. Y Andrés le informaba a Leonor de que había mandado hacer un carro triunfal para que lo obsequiaran los dos a la catedral al día siguiente de las bodas, cuando fueran marido y mujer. Pero ellas tenían reservas y conversaban expresándose mutuamente sus temores:

—Sí, sí, muchos dineros, muchas zalemas, pero ¿no dice la abuela, cuando le da parlanchina, que el matrimonio, a más de amor, es cuestión de suerte?

—¿No asegura que muchos hombres cambian de talante en veinticuatro horas?

—¿Que cuando ya han logrado lo que quieren tornan a su natural?

—A su natural desabrido o violento o amargo.

—¿O vuelven con sus amantes?

—Nosotras tenemos mucho que dar: mucho dinero, el marquesado, dos castillos, tres casas palacio, muchas tierras y muchos juros de heredad.

—¿Y si nos estuvieran engañando los dos?

—No sé, Juana, yo tengo para mí que Andrés es sincero conmigo. ¿Tú no crees en la buena voluntad de Martín?

—Ay, no sé qué creer, hermana… Cuando pienso en la noche de bodas me vienen nervios…

—Dejemos este tema, Juana, hablemos del cofre del rey moro…

—¡Ah, no, ya lo buscamos bastante, Leonor!

—Júrame que a tu marido no le dirás ni media palabra del tesoro…

—¡Te lo juro, te lo juro!

—¡Vuélvelo a jurar!

—¡No quiero hablar más del tesoro!

—¡Ah!

—Escucha hermana —dijo Juana cambiando de tema—, soy consciente de que a nosotras nuestros futuros maridos nos hacen gracia, pero ni mucho menos los amamos como la abuela al señor Beppo…

—Es cierto, Juana, es cierto… Catalina dice que es suficiente que un marido no te desagrade y que de la pasión de nuestra abuela no ha oído hablar ni en los romances…

Y más hubieran platicado las dos gemelas en la habitación que tenían en las casas de San Benito el Real, pared con pared con la de la bisabuela, pero doña Gracia llamó a la puerta con cara de albricias, en razón de que la reina Isabel las invitaba a la recepción que daba al día siguiente por su cumpleaños.

Y claro, sacaron de los baúles varios vestidos nuevos, los que les habían hecho las costureras de Ávila para el ajuar de bodas, se los probaron, anduvieron con ellos, los alabaron y, ay, en esto cayeron en la cuenta de que le tenían que llevar algún regalo a la reina y salieron corriendo a las tiendas de la plaza del Ochavo.

Para comprar, después de mucho dudar, un libro de tapa de plata, *El cancionero* de Petrarca, impreso en la ciudad de Sevilla, sin preguntarse si doña Isabel lo tendría ya.

Con el regalo de las marquesas, la reina se juntó con cuatro ejemplares del dicho libro, pero supo hacer aprecio a todos ellos.

Al son de dos trompetas, uno de los pregoneros del concejo de Ávila leyó en voz alta poco después del amanecer del día 22 de abril de 1475, precisamente el del cumpleaños de María, la sentencia dictada por el tribunal de apelaciones de la Real Chancillería de Valladolid sobre la propiedad de la ermita del Cristo de la Luz. Que, vaya, tantos años de las Gordillas, según ellas, tantos de las Anas, según las otras, diez años siendo la casa de María de Abando y, de repente, dejaba de ser de todas las dichas y pasaba a ser de los vecinos de Ávila, de una pandilla de voceros que seguía al pregonero haciendo más ruido que las trompas y gritando:

–¡La ermita para el pueblo de Ávila!

–¡Fuera la santera!

E los que no paraban en remilgos:

–¡Fuera la hechicera!

E aquellos hombres miraban sañudamente a María e a la hermana Miguela, la portera de Santa Ana, pues ambas escucharon el pregón de pie, en los escalones de la iglesuela, la monja con un cuenco vacío en la mano. E resultó que la religiosa no se atrevió a decir nada sin permiso de su priora y que María no tuvo nada que decir, al parecer. Pues entró en la ermita, llenó dos talegos con lo suyo, se los echó al hombro, se arrodilló delante de la imagen del Santo Cristo, que la despidió más triste que nunca, se santiguó y ya descendió los escalones. No había bajado los cuatro cuando unos cuantos de los del pueblo echaron tranca al oratorio, y asegurándolo con gruesa cadena y fuerte candado, se fueron dando voces, como habían venido.

Cuando la hermana Miguela le ofreció a María dormir en la alberguería, la moza dijo que no, que había alquilado una casa en la ciudad en buena hora e despidióse de la monja derramando enormes lagrimones. E anduvo unas varas e volvióse a mirar su casa y a su benefactora que la saludaba con la mano alzada, y en ésas estaba, con el perro a su lado, cuando llegó Mingo con su precioso caballo albazano, le cogió los talegos y le dio mano para que se sentara en la grupa del bicho, y hombre y mujer cabalgaron bajo la mirada de viandantes y curiosos, pues hacían buena pareja.

El Mingo hubiera llevado a María a saber adónde, a Andalucía quizá, pero María le indicó, todavía con los ojos arrasados de lágrimas y con gran apretura en el pecho, que esta vez ni palpando las manitas del niño muerto que llevaba en el cuello se aliviaba, el camino de la casa que había recién alquilado. E volvía la vista atrás vigilando al perro que la seguía a distancia, pues le daban miedo los cascos del caballo, o quizá buscando los diez años de vida que ahí dejaba.

Por supuesto que el Mingo quiso entrar en su casa, y pasó a verla. La alabó como se hace siempre que se va a casa ajena e anduvo por allí diciendo que era menester pintar y que él la encalaría…

—¿A cambio de qué, Mingo, a cambio de qué? —preguntaba la moza todavía llorosa.

—A cambio de nada, María, te lo haré de balde.

—Ay, Mingo…

—Mira, María, yo beso el suelo que tú pisas… Quiero casarme contigo antes de irme a la guerra.

—¿Se pregonan guerras?

—Los portugueses van a invadir Castilla, es voz pública…

—¿Por qué? ¡Ay, Mingo, qué bien hablas! Pareces un licenciado.

—El rey Fernando está reclutando gente para rechazar a don Alfonso de Portugal, que quiere el reino de Castilla para unirlo al suyo y a sus posesiones de la Mar Océana, tal dice todo el mundo. Yo iré con las milicias de Ávila...

—¡Cuántas cosas has aprendido, Mingo, desde que te has alistado en el ejército! Da gusto oírte...

—Llegaré a ser capitán, te lo juro, y tú serás mi esposa.

—Lo pensaré... Estos días que vienen voy a estar muy ocupada, pues tengo que comprar muebles, menaje de cocina, mandar hacer ropa de cama y lienzos de baño... Que hasta ahora lo tenía todo hecho y la hermana Miguela incluso me traía el desayuno a la cama...

—La abadesa tenía buena industria contigo. Ha estado sorda y ciega a posta, de otro modo no te hubiera dejado estar allí, además haciendo lo que hacías...

—¿Qué hacía yo, Mingo, qué hacía?

—Bueno y malo, María...

—¿Qué malo?

—Abortar a doncellas y viudas, reparar virgos, vender hechizos de amor y a saber si convocar a los demonios...

—No he hecho nada de eso, Mingo, salvo contrahacer virgos que no es maldad por sí, sino picardía, pues que cuando yo intervengo ya está hecho el mal por quien me contrata, nunca por mí... E de lo de abortar, sólo aborté yo, lo que llevaba de ti, Mingo...

—¿De mí?

—De ti. El único hombre con quien me fui a la cama, ¿o no te acuerdas?

—Me acuerdo muy bien...

—¡Ea, dejemos esta habla! ¡Vete a tu casa que es tarde!

Y fuese el Mingo, aquella vez bastante carihoyoso ciertamente.

María anduvo por los puestos de la Albardería enseñando su bolsa y comprando muebles y menaje: una mesa, dos sillas, un almario grande, una alacena, un arca, dos braseros, una cama de matrimonio y un plumazo de lana. Encargó a unas costureras quita, pon y pon de sábanas y tovallas, un cobertor de piel de oveja; pucheros, platos para la cocina y ocho ollas para sus mejunjes; y hierbas: menta, centaura menor, diente de león, espino albar, ruda y un largo etcétera, e se hacía llevar las compras a su casa de la calle de las Losillas.

Cuando el Mingo hubo acabado de encalar las paredes, miró en derredor y respiró contenta, pese a que todavía le quedaba mucho por limpiar, porque estaba en su casa, por fin. Y no le dolió gastar tanto dinero, es más, se encargó un vestido nuevo de brocado cocomán, una cofia en forma de ese como las que llevaba doña Gracia Téllez, que la hacía muy airosa, y unos chapines, con los cuales, recién cumplidos los veinticuatro años, se quitó las abarcas por primera vez.

El Mingo cuando la vio la tomó por una dama y, claro, María, que era mujer, se contentó.

9

Con las instrucciones que recibiera de la anciana marquesa de Alta Iglesia, en la recepción y baile que dio para su cumpleaños, doña Isabel, aunque disgustada pues el rey de Portugal había aceptado maridar con doña Juana la Beltraneja, tuvo tiempo de cambiar ciertos modos de la Corte.

La anciana, que aprovechó la ocasión para pedirle a la señora que se interesara en la recuperación del castillo y villa de Alta Iglesia, en manos de ladrones de tiempo ha, le había explicado por lo menudo en qué consistía la etiqueta en las cortes italianas. Le había expresado palmariamente que a más ceremonial mayor etiqueta y que ésta debía estar reglada, y narrado con detalle cómo recibían el santo padre, el duque de Milán, el dux de Venecia, el r ey de Nápoles, etcétera, e cuántas reverencias era menester hacer a cada uno e cómo. Le había hablado del tratamiento; de cómo el copero había de servir y a quién primero; de los vinos, de la comida, de los postres, de los platos; de las diversiones y bailes; de las sillas, alfombras e adornos; de las vestiduras de las gentes, etcétera.

Isabel estuvo hablando con la anciana mucho tiempo, llegando incluso a suscitar los celos de otros nobles por aquel distingo. Acabada la conversación, tras prometerle a la anciana que se interesaría en la recuperación del marquesado, sonrió ampliamente, pues encontró que el ceremonial de la corte de Castilla nada tenía que envidiar al de los grandes ducados italianos, salvo en una cosa: en el tratamiento. Porque, si bien a su esposo y a ella, los vasallos les daban el título de «alteza», como era preceptivo, varias personas trataban a don Fernando con excesiva familiaridad. Cierto que algunas eran parientes próximos, como el almirante Enrique Enríquez, que era su abuelo materno, y que hacía lo que había hecho siempre: tutearla, pero otras también lo hacían. En concreto, los hombres que se había traído de Aragón, lo cual no se ajustaba a la etiqueta y debía ser subsanado de inmediato y, de paso, también lo que le sucedía a ella con doña Clara, don Gonzalo y doña Beatriz. Para ello, para arreglar aquel despropósito y dar realce a la Corte, primero habló con su marido, que la atendió con cortesía pero no tomó cartas en el asunto, y luego convocó a sus secretarios y a sus damas y les habló claro:

—Deberán sus mercedes dar a mi esposo, el señor rey, el título de «alteza» y tratarlo de «vos» cuando se dirijan a él, aunque lo conozcan de chico... Nos, tal ordenamos y damos tal ejemplo y lo tratamos de ese modo hasta cuando nos encontramos con él en privado...

Y, ay, que aprovechó la ocasión para continuar con otro tema que le preocupaba harto, a más que tiempo era de enmendallo:

—Dicho lo anterior, es nuestro deseo que si hay alguna barragana en esta Corte, salga presto della e no vuelva... E que los hombres contengan el ardor que les producen sus partes varoniles y las mujeres las suyas, e que a mi lado se viva con mujer legítima, mismamente como hacemos el rey y yo...

Todos tomaron buena nota de lo primo, los aragoneses también. Cierto que sobre lo segundo hubo cierto revuelo entre los oficiales, que se apresuró a acallar Gonzalo Chacón.

El monarca, enterado del hecho, se encogió de hombros porque tenía otras cosas que hacer, como pensar en las estrategias que seguiría cuando el rey de Portugal invadiera Castilla, pues no era lo mismo que entrara por Badajoz que por Ciudad Rodrigo. Tenía la mente en otras cosas que le impedían ocuparse del tuteo que le daba su abuelo o de aquella historia del lema, del *Tanto Monta*, que mandaba bordar su esposa en todos los estandartes y banderas... E sobre las barraganas sonrió y aun comentó con sus secretarios que tal vez todo fuera obra del nuevo confesor de su esposa. Un monje jerónimo, un tal fray Hernando de Talavera, que, para oírle en confesión a la reina, la había hecho arrodillar, en vez de hacerlo él, como era costumbre inveterada entre reyes y capellanes y que la estaba interesando por negocios asaz simples.

E hacía bien el rey Fernando de dejarse de conversaciones vanas porque los enemigos eran muchos e importantes y la hija de la reina, la dicha Juana la Beltraneja, que vivía con su madre en la fortaleza de Madrid, andaba en boca de todos.

Siete días antes de las bodas de Leonor y Juana Téllez de Fonseca, Catalina, la cocinera de la casa de la calle de los Caballeros, observó desde una de las ventanas del piso bajo que un mendigo rondaba por allá. Un tipo con las bragas hechas jirones o sin bragas, pues se tapaba con un trapo, caminaba calle arriba e tornaba calle abajo, de la iglesia de San Juan a la plaza de la Fruta, y viceversa. El primer día, como lo viera menesteroso, le dio un mendrugo de pan; el segundo, un pote de sopa; el tercero, para que no lo tomara por costumbre, lo envió a un convento a que los frailes le dieran sopa y un sayo que le tapara las vergüenzas, pero, Santo Cielo, el cuarto, creyó conocerlo; el quinto, le puso nombre a aquel rostro, y el sexto habló con él ya sin tener que avergonzarse pues que los monjes lo habían vestido con una túnica y, tras conversar, guardó silencio, siquiera dijo una palabra a las esclavas moras.

Y es que, ay, Jesús, descubrió que el tipo que rondaba la calle era el señor don Juan Téllez, el desaparecido marqués de Alta Iglesia... O tal vez fuera, ay, Señor, su imaginación que, despertada por los versos del Petrarca, veía lo que no existía: a don Juan. Pero el hecho era que lo reconocía por sus ojos, vivos por demás aunque muy diferentes a los de sus descendientes, que habían sacado los ojos de la madre... A más, que el sujeto levantaba los brazos y movía las manos, como dando mucha importancia al hecho de tener dos manos... En virtud, vive Dios, de que sus dos hijas sólo tenían una mano cada una, un accidente que no les impedía ocupar su lugar en este mundo ciertamente, ni vivir, ni comer, ni desarrollarse, ni casarse, hecho que, si el Señor Dios no lo impedía presto, y no parecía tener el menor interés, habría de suceder mañana a la mañana. Sin embargo, a él, al tipo, a don Juan acaso, el dichoso accidente le había perturbado, el 22 de abril de 1451, hasta tal punto que había abandonado casa y familia, para volver a pisar las losas de la calle de los Caballeros veinticuatro años y nueve días después de su partida... Tornando alunado, pues no reconocía su casa ni a su guisandera, a más de pobre, sucio, hecho un guiñapo, lleno de piojos, y a saber si traído por algún mandado celestial o por alguna fuerza oculta en el aire. Quizá la culpa fuera de María de Abando, que de un tiempo acá se le presentaba en la cocina y para ganársela le ofrecía echarle las suertes de balde, y cuando soltaba la lengua delante de un vaso de vino le decía que era capaz de hacer lluvia, de levantar tormenta, de arrojar las plagas del campo y hasta de llamar a los demonios.

Cuando platicó con él y le preguntó cómo se llamaba y el otro le respondió que don Juan, ya no le cupo duda a Catalina: aquel alunado era el señor marqués... Y lo hubiera gritado, y hubiera hecho pasar al hombre para que todas las habitadoras de la casa lo honraran como se merecía y lo recibieran con lágrimas de alegría, pero optó por no hacerlo, por guardar si-

96

lencio, pues la víspera de la boda no era el día apropiado, aunque, vive Dios, lo suyo le costó. Máxime cuando se encontró a Juana en la ventana contemplándolo también y cuando ésta le dijo:

—Mira, Catalina; ese hombre mueve incansablemente las manos, y no lo hace por temblor sino a voluntad, que lo vengo observando de unos días a esta parte. Qué raro, ¿verdad?

Y tanto, tan raro era que la cocinera no tuvo palabras para responderle porque se le hizo un nudo en la garganta, a más que no sabía si la presencia de don Juan traería bien o mal, ni si era buena o mala señal. E se tomó una tisana de adormidera e fuese a la cama, eso sí, habiendo cumplido con su obligación, dejando la cena hecha para las marquesas.

Leonor y Juana Téllez de Fonseca, tras entregar a la iglesia de San Juan un atril de plata y un libro de coro, magníficos los dos, se casaron a las diez de la mañana en la dicha parroquia, donde habían sido bautizadas poco después de nacer, en ceremonia oficiada por el señor obispo de Segovia, con Andrés y Martín Gil de Torralba, respectivamente. Fueron amadrinadas por su señora bisabuela, felicitadas por la reina Isabel, que envió a doña Clara Alvarnáez y a don Gonzalo Chacón con su representación. Ante el capitán don Jorge Manrique, hijo del conde de Paredes, que cumplió lo que dijera en su carta y mandó parabienes de su parte. Delante de doña Elvira, la viuda Torralba, de sus cuatro hijas, de sus otros tres hijos, uno de los cuales llamado Pedro fue padrino, de un yerno y de multitud de parientes, un buen montón de ellos judíos, pues que no entraron en el recinto sagrado y esperaron fuera.

Las dos respondieron sí cuando el oficiante les preguntó si venían libremente a contraer matrimonio. Primero Leonor, luego Juana, una detrás de otra, y oyeron de labios de sus esposos que sí, que sí, que querían casarse con ellas. E ya maridadas recibieron enhorabuenas y fueron llevadas en el carro triunfal, que su nueva familia tenía previsto regalar a la Catedral en recuerdo de los enlaces, a la casa de la plaza de la Fruta, siendo saludadas por los vecinos y la chiquillería, que corría alocada, pues que las tres hermanas Torralba arrojaban monedas de oro a los mirantes. E, tras asistir al banquete de bodas, tras despedirse de la abuela, las dos casadas subieron a sus habitaciones del piso alto acompañadas de sus esclavas. Leonor de Marian y Juana de Wafa e, como buenas esposas, esperaron a sus maridos. Que no vinieron…

María de Abando, con su casa ya encalada y aviada, asistió a los esponsales de Leonor y Juana Téllez de Fonseca, muy peripuesta, estrenando el vestido que se había mandado hacer. No la invitaron, pero anduvo entre el gentío.

Estuvo dentro de la iglesia, al fondo, hombro con hombro a un hombre, un extraño tipo, vestido con ropa talar, que le movió las manos delante de la cara, alunado por demás, y detrás de las esclavas moras de las marquesas, que más parecían damas por las ricas vestes que traían y que, vaya, para poder entrar en el sagrado recinto no llevaban la cara cubierta con el velo preceptivo de su religión, hecho que pasó inadvertido a toda la concurrencia.

Presenció la llegada de las novias en un carro triunfal que posteriormente sería regalado por la familia Torralba a la Catedral para utilizar en las grandes fiestas, incluso para llevar la custodia en la procesión del Corpus Christi, si había acuerdo entre el cabildo, pues se comentaba sovoz entre la multitud que aquella preciosidad tenía sus detractores, dada la oscura ascendencia de los donantes. Fuere lo que fuere, el caso es que llegó el carro a la casa de las Téllez tirado por cuatro mulas blancas. Que con ayuda de los pajes subieron las novias e se sentaron en el asiento de atrás, magníficas las dos, por el atavío: saya y peto de fustán carmesí recamado de hilo de oro bordado muy menudo con las armas de su casa. Leonor con manto de brocado también carmesí, el de Juana azul, y por las muchas joyas que llevaban, las de cuatro generaciones a decir de dueñas. Y, frente por frente dellas, en el otro asiento, la bisabuela, mayestática como una Virgen, vestida de brocado color verde manzana bordado de plata, también con sus armas, e una toca en la cabeza en forma de ese e sobre ella un precioso alfiler de piedras preciosas que refulgía a la luz del sol. E las novias en la cabeza, flores, unas rosas muy chicas que las comadres, por hablar, decían traídas de Alejandría, pero imposible, pues lo que recordó María que le había dicho Mingo, que tantas cosas sabía desde que se había alistado en las milicias concejiles, que en el confín del Mediterráneo señoreaba el turco y no dejaba navegar nave cristiana ni que fuera a Jerusalén con peregrinos. Delante y detrás de las nobles señoras, niños vestidos con sayos todos iguales, e más atrás un carruaje, muy bueno también, con la viuda Torralba e sus cuatro hijas, las tres solteras y la que estaba casada en Burgos con el mercader de lanas. E detrás, los novios montados en soberbios alazanes, flanqueados por sus tres hermanos, los dos clérigos con dalmática, el obispo con mitra. E detrás, los invitados, entre ellos doña Clara y don Gonzalo Chacón, que habían sido enviados por la señora reina, y el capitán don Jorge Manrique, el trovero, que representaba a su señor padre, el maestre de Santiago, los tres montados en briosos corceles. E detrás, los parientes y amigos de los Torralba. Por los flancos, Catalina y las dos esclavas moras de las Téllez, que no querían perderse nada, y las dos cocineras de los Torralba, que no querían ser menos.

Recorrida la calle de los Caballeros, poco más de cien varas desde la mansión de las marquesas, se detuvo el carro triunfal en la puerta principal de la iglesia de San Juan, la parroquia donde habían sido bautizadas las novias, e debieron entrar los novios y su madre y sus hermanos por la puerta chica, que cuando las marquesas llegaron ya estaban ellos al pie del altar.

E avanzaron las Téllez, seguidas de su bisabuela, que no se había visto mujer más galana en aquellas latitudes pese a su mucha edad, e anduvieron lentamente hasta el presbiterio. Y ya estaban allí los pronto maridos, y la viuda Torralba instalada bajo un dosel situado al lado de la epístola. Se quedaron las Téllez en unos reclinatorios enfrente del altar, las dos en medio de sus pronto maridos, e la bisabuela, que era madrina, situóse en otro reclinatorio al lado de Andrés, que estaba al lado de Leonor, y al lado de Martín, que estaba parejo a Juana, colocóse Pedro, el contador, que era padrino. E salió el celebrante, que no era otro que Juan, el obispo, quien, ayudado por su hermano Alonso, el arcediano, ofició y bendijo aquella unión por siempre jamás, e sermoneó sobre las virtudes cristianas.

Cruzados los anillos y recibidas las arras, nada menos que enriques de oro, por las novias, los matrimonios se dieron las manos, e firmaron con los testigos en un libro. Entre éstos un gentilhombre de ojos tristes, vestido con gorrilla y traje negro, que era muy mirado por las Torralba, las solteras, tal observó María de Abando cuando se situó en el lateral, en primera fila, pues había avanzado desde el fondo de la iglesia pidiendo paso, que no dando empellones, como otra gente.

Acabado el acto religioso, con Leonor y Juana ya casadas, después de dejar los ramos de flores en la sepultura de su señora madre, la magnífica señora doña Leonor de Fonseca, la comitiva, al son de la alegre música de unos moros tamborinos, se encaminó a la casa de la plaza de la Fruta, donde había de celebrarse un banquete con doscientos invitados. E María hizo que se encontraba con las guisanderas de los Torralba y fuese con ellas, y comió hasta reventar en las cocinas. E como luego quedóse a ayudar a recoger a sus amigas, se enteró de que en los dormitorios de los nuevos matrimonios no había sucedido nada de lo que hubiera sido deseable que sucediera, pues ni siquiera se habían personado los maridos y, la verdad, como el resto de las gentes de la casa, María quedóse barruntando desgracias.

10

El 25 de mayo de 1475, día del Corpus Christi, el ejército portugués, después de que su soberano retara a Fernando e Isabel, cruzó la raya del reino. A mitad del mes de junio falleció la reina Juana, la segunda esposa del rey Enrique, se comentó que por beber malas aguas, pero se dijo también que a causa de sus muchos pecados, pues que llegó un momento en que ya no le cupieron más en el alma y que ésta, anticipándose al cuerpo, aceleró su muerte y la abandonó por su cuenta, sin causa aparente, quizá tratando de salvarse a la desesperada.

Isabel, mientras trataba de apaciguar al monarca lusitano enviándole varias embajadas, pensaba a menudo en la Beltraneja. Moza en la que se repetía su propia historia pues, aunque andaba rodeada de gente ambiciosa y con la población de Madrid a su favor, sin duda estaría tan sola como ella estuvo. Como ella, preguntándose qué hacía en este mundo y si era mejor vivir o morir, también traída y llevada por unos y por otros. Y deseaba darle una salida honrosa a su pariente: casarla bien o entrarla en un convento, lo mismo que habían pretendido algunas gentes con ella. Y lo que decía a su señor marido:

—Don Fernando, doña Juana no es hija legítima de mi hermano... Mi señor padre dejó expreso en su testamento que a

101

falta de descendientes, a Enrique lo heredara Alfonso, y a falta de Alfonso, yo…

—Llamaremos a Villena para que venga a unas vistas con nosotros… Trataremos de que desista del juramento que le hizo a doña Juana.

—No aceptará… El cardenal Mendoza dice que es caballero y que antes morirá por ella que servirnos, sencillamente por esas cosas del espíritu de la caballería, muchas veces cuestionables… Me asegura que no es felón como su padre…

—No menosprecie su alteza —la trataba de alteza y había abandonado el tuteo con ella, como uno más— las virtudes de la caballería. López Pacheco ha dado juramento de fidelidad a doña Juana y debe mantenerlo aunque le cueste la hacienda y la vida…

—No entiendo yo, marido… Lo de la caballería es bonito en un torneo, para un relato… Pero oponerse a lo que dictó mi padre el rey don Juan, no lo entiendo. ¿Quién es él? ¿De dónde le viene la autoridad para arrogarse en defensor de una causa? La legitimidad está en mí… E, no sé…

—Si es menester, iremos a la guerra.

—¿Con qué dineros?

—¡Pediremos, y si no nos dan por las buenas, pues será por las malas!

—Tenga tiento el señor rey, que no es sólo la cuestión de doña Juana; es que, cuando juntemos los reinos de Castilla y Aragón a la muerte de su señor padre, gobernaremos el mayor territorio de aquesta parte de Europa.

—Los portugueses han encontrado y explotan una mina de oro en la ribera del Mar Océano y son ricos…

—Quieren más, desean nuestras tierras, y por eso don Alfonso se casará con su sobrina.

—E los franceses también buscan lo nuestro.

—El arzobispo de Toledo no está por nosotros. Enviemos nuevas embajadas…

—Voy a armar seis mil lanzas… Mientras tanto, preséntese su merced en Alcalá y consiga que Carrillo se allegue a nuestro lado. Tratándolo con tino, pues ya sabe que es hombre de mudanzas y de ejemplo irregular…

E partióse Isabel a Alcalá de Henares, donde el arzobispo de Toledo se entretenía para distraer sus malos humores buscando la piedra filosofal con un nigromante llamado Alarcón, el mismo que había hecho horóscopo a la señora cuando era infanta y dejado entrever, que no asegurado, que podría llegar a ser reina. Y, vaya, que el prelado siquiera la recibió mal, pues ella entró en la población por una puerta y él salió por otra. Lo cual venía a significar que estaba con la hija incierta del rey Enrique, con la Beltraneja y contra ella, cuando la reina necesitaba más que nunca todo el apoyo de las gentes, todo el cariño del mundo, toda la benevolencia de Dios, pues que, además, estaba, bendito sea el Señor, otra vez encinta, por fin. Y aunque en Toledo fue aclamada por la vecindad, pues que abandonó Alcalá en razón de que no tenía a quién saludar,.abortó, el mismo día en que la señora Beltraneja maridaba con don Alfonso de Portugal, presentes los dos, aunque sin dispensa papal; cinco días después de que los prometidos se proclamaran reyes de Castilla en Plasencia, y seis días después de que Juana librara cartas a todas las ciudades y villas defendiendo los derechos que tenía al trono y los pactos de Valdelozoya.

La guerra comenzó.

Leonor y Juana Téllez de Fonseca, las dos marquesas de Alta Iglesia, esperaron una noche y otra a que sus maridos llamaran a la puerta de la habitación, en vano. Transcurrido un mes de su unión sacramental, como Andrés y Martín habían dejado la casa de la plaza de la Fruta para ponerse al servicio del rey en las guerras que se anunciaban contra el invasor portugués, las dos mujeres no supieron qué hacer.

Conocieron, eso sí, porque todo se sabía en aquella casa en razón de que las moras mantenían el oído atento, que a Andrés y Martín, después del banquete de bodas, les había entrado pavor, que se habían emborrachado como nunca y metido en su cama de solteros, para levantarse a los dos días, mandar hacer el equipaje, afilar sus espadas, aparejar sus caballos, despedirse de su madre y largarse a servir a don Fernando, lo mismo que hacían todos los caballeros capaces de mantener alzada la lanza por todo el reino, cierto que éstos sin dictar testamento ni decir adiós a sus esposas.

Sintieron las dos gemelas en lo más íntimo de su corazón aquel desplante, que otra cosa no era. Y, a un mes del hecho, todavía dudaban si decírselo a la bisabuela, más que nada para que no se llevara disgusto y evitar que exclamara, pues que les dolía sobremanera:

—*Porca vita!*

Lo que venían diciendo ellas de cuatro semanas acá. E, la verdad, no sabían qué hacer, que no habían oído nunca hablar de una situación semeja; no obstante, trataban de analizar los acontecimientos. Convenían en que sus noviazgos habían sido como los de todas las doncellas casaderas del reino. Con el pretendiente rondando la calle, llegándose a la ventana, platicando con la novia en la misma, mandándole billetes de amor... Los de ellas, las respuestas de ellas, preciosas, con palabras de la bisabuela y con bonitos versos del señor Petrarca... Un idilio bello, después de todo.

Pero, como pasados treinta días de la ceremonia matrimonial, las moras aseguraban haber oído en las cocinas que a los maridos, dos mozos garridos, les había entrado terror de yacer con ellas la noche de autos y por eso se habían embriagado hasta perder el seso para dilatar sus obligaciones y no cumplir como maridos, sin ponerse de acuerdo entre los dos para mayor despropósito, se dijeron, encerradas en el aposento de Leonor, lo que era obvio, pues no encontraban otra explicación:

—Les vinieron pavores porque somos mancas, porque ni Andrés ni Martín quieren tener un hijo que herede la tara...

—Son cobardes... Mucho irse a hacer la guerra y...

—Se esconderán en la retaguardia detrás de los carros de provisiones e no asomarán la cabeza.

—¡Quiá, se quedarán a dos leguas del campo de batalla!

—¡Con sus barraganas!

—Ya nos sabían mancas. Yo, querida hermana, no me tapé mientras estuve en la ventana.

—Ni yo.

—Como no han consumado el matrimonio somos libres... Nada nos une a ellos... Es cuestión de que volvamos a nuestra casa...

—¿Cómo vamos a volver? Seremos el hazmerreír de la ciudad y de Castilla toda...

—Además, la abuela se disgustará.

—Quizá debamos conversar seriamente con doña Elvira, la madre.

—¡Ni hablar! Está siempre con sus tres hijas, con esas tres comadres...

—Bueno, pues esperamos un tiempo más, Juana...

—¿Un mes?

—¡Sí, nos damos de tiempo otro mes!

Y así las cosas, no eran felices. Toda la ventura que habían disfrutado mientras vivieron en la mansión de la calle de los Caballeros se terminó al entrar en la casa de la plaza de la Fruta, y menos mal que se habían traído a las moras con ellas. Menos mal que Catalina iba a visitarlas de vez en cuando, a llevarles parabienes de la bisabuela y a echar pestes del nuevo servicio que había contratado la dama, una pandilla de vagos. La buena mujer hablaba de cosas menudas por no decirles nada de don Juan Téllez que, convertido en pobre de pedir y vestido de harapos de cintura para arriba y con un trapo de cintura para abajo hasta que unos monjes caritativos le dieron un gonel muy usado y que a veces se levantaba, continuaba rondando su antigua casa y durmiendo en el atrio de San Juan. Para no contarles que el hombre, ya fuera un pobre, pobre, o el dicho marqués, alunado por demás, las había contemplado, divinas, cómo iban las dos en el carro triunfal que las llevó, antes y después de casadas, de su antigua casa a la iglesia y de la iglesia a su nuevo hogar, y que alzó los brazos y bailoteó las manos, lo único que hacía, pues que hablar, hablaba poco, que sólo repetía que se llamaba don Juan. Y eso, guardaba silencio, y otrosí hacía sobre la situación de las gemelas, que se mantenían doncellas, pues, enterada por las moras, no le dijo nada a la bisabuela.

A la vista de lo que no sucedía en su casa, doña Elvira, la viuda del Perogil Torralba, tras llevar mil candelas y buenos dineros a la iglesia de San Juan, recibió a María de Abando, la ensalmera de la calle de las Losillas. La hizo ir a su casa para que le curara un lobanillo que le había salido detrás de la oreja y le incomodaba, pero fue mera excusa, pues la dueña le quiso sonsacar qué se podía hacer, qué remedios se podían aplicar para que un marido entrara en el dormitorio de su esposa y una vez allí cumpliera como varón, sin que se enterara el sujeto por no someterlo a humillación.

María, que estaba sobradamente informada del negocio pues había estado en las cocinas el día de las bodas de las marquesas hasta bien entrada la noche, no hubiera necesitado saber más. Pero para hacerse valer y cobrar más, dijo que habría de estudiar el caso y conocer la calidad del marido, y a ser posible verlo, de lejos que fuera para no someterlo a humillación. Y cuando la viuda le informó, roja hasta la raíz del cabello, que el marido no era uno, sino dos, dos de sus hijos, los que se habían casado

106

el día 8 de mayo pasado con las dos marquesas Téllez, y que a éstas se las llevaba el enojo y pedían justicia en sonoro silencio, recluidas en sus habitaciones y sin querer ver ni tratar a ninguna persona de la casa, haciéndose servir por sus esclavas moras en exclusiva e no participando en la vida familiar, María le preguntó si sus dos hijos habían sido capaces con otras mujeres. La viuda asintió con la cabeza, roja, roja de rostro e, moviendo nerviosamente las manos, musitó que Andrés tenía casa puesta a una barragana en el rabal de San Nicolás, y que Martín iba a menudo con él. Sobre si había sucedido algo digno de mención el día de las bodas, la Torralba contestó que no, que, a más, bendito sea el Señor, la ceremonia había sido lucida de lo más y el banquete espléndido e muy bien servido, cierto que las tornabodas, que hubieran durado dos semanas, fue preciso darlas por terminadas a los dos días porque los maridos ensillaron los caballos y se fueron con sus escuderos a servir al rey Fernando.

—A servir al rey o a ocultar su vergüenza, hija…

—¿Qué desea su merced que haga yo?

—Que lo arregles, que eches los ensalmos necesarios a mis hijos o a sus mujeres o a la casa o a la ciudad o al mundo…

—¡Pardiez, señora Elvira!

—¡Te daré estas dos bolsas!

—¡Tres!

—¡Tres!

—¡Dos, ahora!

—Oye, no… Una ahora, y dos luego…

—¡No!

—Ea, pues bien. ¡Espera, que llaman a la puerta; he dicho que no me interrumpan por nada y ya ves!

Y, vaya, que se presentaron sus tres hijas.

—¡Madre, tenemos que hablar ya con vos!

—¡No atenderé a sus mercedes en este momento, estoy muy ocupada!

—¡Pues ha de sentirlo su merced!

—¡Pues lo sentiré! Continúa, María…

—Podré entrar y salir de la casa y andar por las habitaciones y hablar con quien estime conveniente, y hacer mis encantos sin que nadie me estorbe ni menos me vigile, ¿entiende su merced?

—Entiendo… Además, te daré de comer y de cenar, lo mismo que yo y mis hijas.

—Mañana vendré a primera hora.

—Oye, María, guardarás silencio destas pesquisas pues, pudiendo consultar con mi capellán y con el señor obispo, he acudido primero a ti para que me resuelvas este negocio tan desgraciado… E ni mis hijos, los interesados, ni mis hijas, que están detrás de la puerta queriendo saber qué pláticas me llevo contigo, sabrán nada desto, pues que es meterme donde no debo… Claro que lo hago por la gloria de mi casa, que fue la de mi esposo, don Perogil, hombre de fama y probada virtud…

—Que me muera si digo palabra, señora Elvira…

—¡Otra vez llaman a la puerta y como si hubiera fuego! ¡Vuelve la cabeza, que no te vean, voy a ver qué pasa! ¿Qué ocurre? —preguntó doña Elvira.

A la voz de la señora, una criada abrió la puerta desde fuera y aparecieron las mancas en el umbral diciendo que deseaban hablar con ella, pero les respondió que las llamaría en breve, el tiempo que tardara en despedir a la mujer que tenía en hablas, lo mismo que ya había dicho a sus hijas, que también habían querido interrumpirle con anterioridad. E idas las marquesas, le dijo a María:

—Ea, ve con Dios. E recógete los dineros, no te los vayan a robar.

—Él quede con vuestra merced.

11

Mientras los lusitanos recorrían Castilla requiriendo a los alcaides que les entregaran las fortalezas por do pasaban y asentaban el real en Arévalo –la tienda del monarca a dos varas de la ermita de la Lugareja, a la vista de la madre de Isabel, que continuaba bordando primorosamente paños y más paños en la señera fortaleza de la villa–, Fernando se trasladaba a las tierras del norte e Isabel andaba por las de Valladolid reclutando soldados. Ambos recordando la batalla de Aljubarrota, donde los portugueses habían derrotado a los castellanos cien años atrás, ambos tratando de levantar el ánimo de las gentes, que no estaban por la guerra. No obstante, consiguieron un ejército de cuarenta mil hombres, eso sí, mal pertrechado, mal avenido y peor adiestrado.

Así las cosas, la reina hacía esfuerzos cada día para levantarse de la cama, pues no en vano había abortado en el camino entre Toledo y Tordesillas, y, aunque no le habían quedado secuelas, salvo mucha pena en el corazón, y se manejaba bien, no estaba con buen ánimo. No obstante, escribía de su propia mano o por medio de sus secretarios a todas las ciudades y villas de los sus reinos para que le enviaran tropas, sobre todo de caballería, y no sosegaba. Porque le llegaban noticias de que el

109

portugués había dejado Arévalo y que la población de Toro le había abierto las puertas. O de que el rey de Francia había reconocido a Alfonso V y a Juana como soberanos de Castilla y pensaba enviar un ejército invasor a las Vascongadas. O de que el duque de Stúñiga andaba cercando el castillo de la ciudad de Burgos.

Cierto que se alegraba cuando era enterada de que su esposo se encontraba ya al pie de las murallas de la plaza de Toro, cabe el río Duero, pero presto tornaba a amohinarse al saber que había desafiado al monarca lusitano a duelo singular, y que éste había aceptado pidiendo seguridades para su persona, y prendas. A las dos reinas en prenda, a ella y a Juana. Y claro, se enojaba, no fuera a aceptar su esposo, creído de su juventud, aquel trueque, aunque llevara ventaja ciertamente en razón de que el rey de Portugal era viejo y asaz grueso de carnes, pero no era comparable la nobleza de ambas damas. No fuera su marido, queriendo ahorrar dineros y terminar la guerra, a parangonarla con la Beltraneja.

De este modo, con los negocios del reino en un brete, habiendo dado orden de incautar las haciendas de los partidarios de doña Juana, Isabel llevaba vida amarga en Valladolid pues observaba sin poder tomar medidas cómo subía el precio del pan, cómo los soldados se mostraban descontentos y reclamaban sus pagas, o cómo la tropa de ladrones que tenía ocupados desde hacía veinte años, o más, los castillos de Castronuño y Alta Iglesia —en manos de gentes que tenían por oficio robar y matar— se pasaban al bando portugués, a más que todavía le dolía su aborto en el alma y con tanto jaleo y disgusto no tomaba los remedios que le procuraba el médico, por eso andaba floja.

Floja y a ratos desesperada. Desesperada al saber que don Alfonso V había tomado la ciudad de Zamora, y con flojera de piernas a toda hora, pese a tener a su lado a los Haro, Enríquez, Alba, Manrique, Pimentel, Mendoza, etcétera. Yendo de aquí para allá, de León a Burgos, de Medina a Tordesillas y Valladolid, como en un inacabable ir y tornar, cierto que recibiendo cada día a más gentes de los linajes que le habían sido hostiles. Ítem más, al ser informada de que los franceses habían repasado en la menguante del mar el río Bidasoa con pertrechos y cañones, y estaban a tres mil pasos de Fuenterrabía, donde eran rechazados por los habitadores, que habían fortificado la villa y tiraban pólvora a mansalva con una bombarda muy gruesa, mucho mayor que las que llevaban los invasores, y escaramuceaban contra el enemigo y, pese a las bajas que sufrían, peleaban con mucha bravura.

Mientras las tropas de Fernando e Isabel aguantaban la embestida francesa por el norte, en el oeste el baluarte de Zamora se rendía al rey de Castilla después de librar grande batalla para conquistar la torre, y con los vecinos y con otros, pues se le juntaron condes y duques, se disponía a defender la plaza.

Don Alfonso de Portugal llegó desde Toro con mucha gente, con su hijo el príncipe Juan y con muchos caballeros, entre ellos el arzobispo de Toledo, decantado ahora por la Beltraneja, y asentó su real al otro lado del Duero, de tal manera que el río quedaba entre el campamento y la ciudad, y desde allí bombardeó las torres del puente durante quince días, llevando tres mil de a caballo y cinco mil peones. E vido el lusitano que no podía tomar la plaza, levantó el campamento e tornó río arriba hacia Toro, pero lo alcanzó don Fernando a dos leguas de aquella villa de noche ya, e viendo que no podía dilatar batalla, ordenó sus haces. Bajo una lluvia muy recia, se encontró con las tropas castellanas e lidió hasta que fue vencido e desbaratado e huyó con ocho de a caballo, mientras su hijo se refugiaba en un cabezo y muchas de sus gentes morían ahogadas en el río.

El rey Fernando, bendito sea Dios, recogió más de mil cadáveres en el campo e hizo grande presa de caballos, armas, prisioneros y oro y plata, e tornóse a Zamora al amanecer, movimiento que aprovechó el príncipe Juan para picar espuelas y refugiarse en Toro. Pero hasta que Fernando conquistó esta villa e los castillos de Castronuño, Alta Iglesia, y se le dio Madrid, e le vinieron los señores que habían estado con los lusitanos a postrarse ante él, arrepentidos, no hubo paz en el reino. Luego sí, a Nuestro Señor Jesucristo sean dadas muchas gracias y loores, pues que los reyes fueron magnánimos con los vencidos y a éstos no les quedó otro remedio que ponerse del lado de los vencedores.

Así Isabel pudo decir a su marido:

—Don Fernando, hemos ganado a doña Juana y a don Alfonso. Después de enderezar la hacienda, de entrar a los nobles en vereda y de acabar con los ladrones que pululan por los caminos, haremos la guerra al moro.

Pese a que, según noticias, los dos Torralba andaban combatiendo en las guerras de Castilla contra Portugal, concretamente en el sitio de Toro con el señor rey, un día a media mañana se presentaron en la casa de la plaza de la Fruta, organizando el jaleo consiguiente.

En el piso de arriba se oyeron voces. Las Téllez las escucharon e enviaron a las esclavas a ver qué sucedía. Pero, antes de que éstas regresaran con las nuevas, entraron los dos hermanos en la habitación de Juana, donde estaban reunidas, e Andrés se llevó a Leonor, e Martín se quedó con su esposa. E ambos cerraron con llave y de un golpe las puertas de los aposentos, pues que venían fieros.

Andrés, que echaba fuego por los ojos, agarró a Leonor del brazo manco e la arrojó sobre la cama; se alzó la túnica, se bajó las bragas e la violentó y, sin cruzar palabra con ella ni para saludarla. Luego salió tan aprisa como había venido, sin volver la vista atrás, sin apercibirse de que su esposa abría la puerta del aposento y arrojaba, airada, la sábana nupcial al pasillo. Martín en cambio, tardó una hora en abandonar la habitación de Juana, en razón de que, aunque entró tan abestiado de ademanes y tan a cierra ojos como su hermano, tras alzarse la saya y bajarse las bragas, fracasó estrepitosamente como varón, ya fuera porque le vinieron pavores o porque no valía para el acto. Juana quedóse muy aliviada cuando se largó dando un portazo, golpe que dejó al descubierto a todos los moradores de la casa la incapacidad del joven.

E con aquel tratamiento, tan impropio de caballeros, las marquesas se sintieron más afrentadas que nunca e lamentaron no tener padre ni hermanos que lavaran con sangre aquella ofensa. E, como los tipos, que otra cosa no eran, se fueron otra vez, sin despedirse dellas, a las guerras del rey Fernando, decidieron contarle todo a la bisabuela puesto que precisaban de su ayuda para tomar una determinación. Conscientes, además, de que, como Andrés se había llevado la virginidad de Leonor y Martín no había podido con la de Juana, se encontraban ante dos situaciones diferentes, máxime porque de inmediato Leonor se supo embarazada y lo comentó con su hermana cuando se juntaron las dos:

—Creo que estoy encinta, Juana.

—No puede ser; será imaginación tuya, que sólo has yacido una vez con tu esposo… Ni que te lo hubiera venido a decir un ángel como a la Virgen María…

—Me noto otra mujer, tengo calor, me vienen ahogos.

—¡Es del sofoco, es natural! ¿Acaso has vomitado?

—¡No!

—¡Entonces, no lo estás!

—Te digo que sí, que la mujer sabe cuando está empreñada.

—¡Hablas como las comadres! ¡Te sucede que estás furiosa, dolida hasta el tuétano, mismamente como yo!

—¡Lo sé bien, Juana, lo sé! E no te burles de mí, ten caridad conmigo, que estoy en situación delicada… Ten en cuenta que, desde que mi marido me violentó, le odio, y ahora llevo un hijo suyo en mis entrañas, no sé si lo quiero…

113

—¡Oh, pobre hermana mía! ¡Si te consuela, te diré que yo también odio a Martín!

—¡Abomino a Andrés, a su madre, a sus hermanas y a esta maldita casa!

—¿Qué podemos hacer?

—¡Marcharnos con viento fresco...!

—¡Ea, pues vamos!

—¡Vamos a decírselo a doña Elvira y, si se atreve, que nos corte el paso!

A eso fueron, a comunicarle a su suegra que se iban de aquella casa para siempre jamás, pues que llevaban mucho enojo en su corazón. Pero, vaya, que la dueña andaba con dineros encima de la mesa y en conversación con una mujer cuyo rostro no vieron e, cuando le dijeron que deseaban hablar con ella, les respondió, tapando los dineros con las manos, algo así:

—¡Perdónenme sus mercedes, que estoy platicando con esta mujer! Las haré llamar en un momento...

E continuó en aquel conciliábulo. E las marquesas se sintieron más airadas todavía, en razón de que aquella doña Elvira, que siquiera era hidalga, se permitía tratarlas como si fueran criadas, y no se dignaba interrumpir las pláticas que llevaba con una mujer del vulgo, tal se adujeron por el atuendo de la dueña, que no le vieron la cara, pues que de haberlo hecho hubieran conocido a la Niña del Cristo de la Luz y tal vez la hubieran saludado o preguntado qué martingalas se llevaba por allí. Por eso, sin pensarlo dos veces, se encaminaron a la puerta más cercana y, pasando por delante de sus tres cuñadas, que las miraban atónitas, abandonaron, seguidas de sus esclavas y sin llevarse equipaje, la casa de la plaza de la Fruta.

Setenta pasos contó Leonor hasta llegar al palacio de la calle de los Caballeros, setenta y seis Juana.

E la viuda Torralba, como habían ocurrido demasiadas cosas en su casa mientras anduvo ajustando los servicios de María de Abando, no se enteró de que habían llegado sus hijos, ni de

114

que uno de ellos había violentado a su esposa, ni de que el otro no había podido, ni de que los dos se habían vuelto a marchar, ni de que las marquesas, sus nueras, habían abandonado la casa, hasta bastante después del almuerzo. Pues comió sola en su aposento e durmió un poco de siesta, quizá para curarse el mal rato que había pasado con la bruja contándole las intimidades de la familia o por los muchos dineros que le había dado que, como buena judía que había sido, le habrían salido del alma, o quizá se olvidara de que la gente de su casa le había ido con urgencias.

El caso es que cuando llamó a charlas a sus hijas para preguntar a Catalina, la mayor, si platicaba con un posible espíritu que hubiera en uno de los pozos de la casa, negocio que también deseaba conocer María de Abando, y a todas qué querían cuando llamaron a su puerta, fue informada cumplidamente de los sucesos, y se lamentó como no en vano le habían vaticinado sus descendientes. E rompió en amargas lágrimas por la afrenta hecha a sus nueras, por el disgusto que llevaban y por la impotencia de su hijo Martín, pese a que sus hijas quitaban yerro al desgraciado asunto y no lo tachaban de «afrenta» sino de «desliz», y aún añadían que lo de Martín se podría arreglar, e no pudo soportarlo e le vino un vahído e hubieron las criadas de acercarle el frasco de sales a la nariz e llevarla a la cama en brazos.

Y, vaya, tardó en recomponerse y estuvo tres días con el estómago revuelto y con motivo, pues que sus hijas, a más de narrarle lo ocurrido en toda su crudeza, de demandarse mil veces si Leonor estaría ya empreñada y de sostener que las taras se heredan más fácilmente que las virtudes, le recriminaron haber negociado mal los matrimonios de sus hermanos y que hubiera dejado asuntos sin ajustar en las capitulaciones, sobre todo cuál de las gemelas habría de heredar el marquesado. A más, que se dolieron de haber emparentado con aquellas dos arpías, las marquesas, y se santiguaron varias veces al comentar el mucho sufrimiento que hubo de padecer la progenitora de las mismas

115

para fallecer tan de súbito. Y lo único que reconocieron en la agria plática que mantuvieron con su madre fue que Andrés era hombre de demasías y Martín lerdo, pues que sólo sabía ir con megueces a unos y a otros.

María, tras abandonar la mansión de los Torralba, anduvo por la calle de los Caballeros tentando los dineros que llevaba en la faltriquera. Saludó ya de lejos a Catalina, la cocinera de las marquesas, que estaba apoyada en el dintel de la puerta de las cuadras contemplando a un hombre. A un pobre que, Jesús, Dios, andaba medio desnudo. Qué medio desnudo, en cueros de cintura para abajo, tapándose el colgajo con un trapo y destapándose para que la guisandera y, ahora ella, lo vieran. La ensalmera lo reconoció enseguida, pues era el mismo que había estado a su lado en la iglesia de San Juan en la ceremonia religiosa de la boda de las Téllez, eso sí, vestido.

Le hizo un aspaviento con las manos a Catalina, como preguntándole qué hacía este tipo, y la guisandera le respondió abriendo los brazos en un gesto de impotencia.

María continuó observando, y se dijo que el sujeto no enseñaba lo que enseñaba como si mostrara algo grande y único ni prometiendo maravillas como habían hecho el Mingo y el Perico mientras estuvo en la ermita del Cristo de la Luz que, ahora, desde que vivía en la calle de las Losillas, no se atrevían ya, no fuera a verlos la vecindad y los denunciara a los regidores por escándalo. Y presto se apercibió de que al hombre, más que enseñar lo que enseñaba, lo que le interesaba era bailar las manos, como si quisiera decirles tengo dos manos, como si fuera importante tener dos manos, que lo era, si no que se lo preguntaran a las dos marquesas mancas.

Y lo llamó:

—¡Eh, buen hombre!

Pero el tipo se echó a correr. Entonces María se acercó a la cocinera y le preguntó:

—¿Quién es, Catalina?

—Ronda por aquí de un tiempo a esta parte. Dice que se llama don Juan…

—¿E no vienen los alguaciles a por él?

—¡No!

—¿No lo has denunciado?

—¡No, es un pobre hombre! Hoy andaba desnudo pero últimamente llevaba una túnica.

—Puede escandalizar a alguna doncella yendo así.

—¡Sí, a ti, por ejemplo, porque seguramente eres doncella!

—¿Por qué me tienes ojeriza, mujer? Yo te puedo echar las suertes o leer las rayas de la mano para decirte que vas a vivir cien años o hacerte rica o curarte el dolor de vientre o el cólico, todo de balde, o regalarte estos dineros para que te compres un manto para el invierno… Toma, toma esta bolsa para ti… Que me gusta dar a las amigas… —decía María con voz zalamera, sacándose uno de los saquetes que le había dado la viuda de la faltriquera— Toma, que tiene cien maravedís… Pero, dime, ¿cómo están tus amas, las señoras recién casadas? ¿Cómo les va con sus maridos? ¿Alguna dellas se siente preñada…? Yo la puedo atender e remediar en sus dolores y vómitos… ¿E doña Gracia qué? Que le tengo mucho aprecio a la dama… Toma, coge la bolsa, no tengas reparo…

—¡Vete, maldita alcahueta!

—Me quejaré a tu señora cuando me llame, pues me tiene estima… No debes olvidar que merced a mis oficios tus amas se han casado…

—¡Sí, valiente matrimonio que han hecho con dos judíos!

—Hija, pareces fray Tomás de Torquemada…

—¡Vete al infierno, bruja!

—Te arrepentirás de hacerme este desaire…

—¡Atrévete a echarme mal de ojo y verás! Te denunciaré a la

justicia… ¡Y acabarás en la hoguera como pretende hacer fray Tomás con todas las gentes de tu calaña!

Dicho lo dicho, la guisandera echó la tranca. E fuese María muy enojada, pues que había saludado amablemente a la criada y le había respondido asaz mal, pero se la quitó de la cabeza pues lo que se dijo, que no había de emplear un minuto de su tiempo con aquella necia que no tenía donde caerse muerta y había despreciado una bolsa de cien maravedís.

E iba caminado con tanto garbo que llegó en dos zancadas a la plaza de San Juan. De haberse demorado un tantico y de haber vuelto la cabeza, hubiera podido ver a las dos marquesas de Alta Iglesia llamar exasperadas a la aldaba de su antigua morada, y enterarse de ciertas cosas que le hubieran ahorrado desazón y harto trabajo.

Sin volver la vista atrás, anduvo hacia su casa por la calle de las Campanas, pensando cómo acometer al espíritu del pozo de los Torralba que sin duda sería el alma en pena del Perogil. E iba cavilando si lo constreñiría en una redoma o lo haría salir y lo largaría, no fuera a ser el causante de la impotencia de los mozos. Si hablar o no hablar con la hija mayor, pues que las guisanderas le habían asegurado que había platicado con él. Si en el pozo viviría en espera de su redención el espectro de don Perogil que, dado los hijos que le habían sobrevivido, los dichos Andrés y Martín, no quería marcharse de este mundo hasta que consumaran su matrimonio y dejaran el linaje en buen lugar, o si todo era negocio de las cocineras que, como mucha gente, oían un ruido durante la noche y ya creían que se trataba de Satán o de alguno de sus príncipes.

Y en ésas estaba, considerando importantes asuntos, proyectando, además, ponerles a los hermanos las manitas del niño muerto de María de Ataún en sus partes para remediar su impotencia, pero en esto volvió la cabeza y se topó con el tipo desnudo, que la venía siguiendo, y le preguntó lo primero que pregunta todo el mundo a todo el mundo:

118

–¿Cómo te llamas?

–Don Juan –respondió el hombre, y levantando los brazos bailoteó las manos…

–Ya veo que tienes manos…

–¡Tengo dos, dos…!

–Yo también, mira, dos… ¿E qué haces por aquí?

–Don Juan.

–Ya lo sé. Dime, ¿qué haces, de qué vives?

–Don Juan…

María lo dejó en la puerta de su casa, y una vez dentro echó la llave.

Aquella noche se empleó a fondo pues la pasó en vela. Estuvo dibujando unos muñecos, uno más grande y otro más chico, que representaban a Andrés y Martín, en la ceniza de la chimenea, marcándoles sus partes viriles, y refrotándoles por ellas el saquito de María de Ataún, que a ella al menos le habían revuelto la natura.

Al día siguiente se le presentó una urgencia. Se adujo que, antes de ir a la mansión Torralba a enfrentarse con el espectro del pozo, debía guardar su mucho dinero, o al menos parte, no fueran a entrarle ladrones en casa y, dudando entre dejarlo en manos del judío Yuçef, como hacía la gente amillonada, o en enterrarlo, pasó la jornada deambulando por la ciudad, de taberna en taberna, un vaso acá, otro allá. De asueto, como si no tuviera otro quehacer, perdiendo el tiempo, en fin.

Al siguiente, ya con la cuestión decidida, lo primero que hizo fue encaminarse a la ermita del Cristo de la Luz dispuesta a enterrar su dinero por allí y, tras atravesar el rabal, pasar por delante de Santo Tomás y subir el repecho, llegó sin aliento. Se detuvo en la iglesuela aunque no pudo entrar, pues estaba cerrada con fuerte candado; no obstante, se arrodilló delante del Santo Cristo y se le hizo que la imagen le sonreía, pero no, no, cosas suyas, que últimamente hasta creía volar cuando posiblemente lo había soñado.

Hubiera metido las bolsas de la Torralba en el hueco entre el ara del altar y la pared donde ya había ocultado sus dineros, mientras moró allí, para que se las guardara el Señor, de no estar aherrojada la puerta, pero pensó en enterrarlas en el bosquecillo anejo a la tapia de las Gordillas, donde se había dejado su virtud, porque buscaba un lugar recogido y poco transitado. Entrando estaba en el arbolado, cuando escuchó ruidos, como si un espectro rondara por allí. Largóse entonces, que mejor evitar a hombre, animal o espíritu, pues hacía mucho tiempo que no se enfrentaba a ninguno y todavía no estaba segura de cómo arremeter contra el que vivía en el pozo de la casa Torralba.

Fuese, pero volvió al cabo de un rato, después de saludar a la hermana Miguela, que la recibió con mucho cariño, y terminó enterrando tres cuartas partes del dinero que tenía al pie de la tapia de las Gordillas, en saquetes, orando porque sólo la hubiera visto el Cristo de la Luz, debajo del ladrillo número trigésimo tercio a partir del ángulo por donde sale el sol. El trigésimo tercio, número que obtuvo de sumar del día en que nació, el veintidós, más cuatro del mes de abril, más uno, más cuatro, más cinco, más uno, del año de 1451, es decir el día, mes y año en que nació, para no olvidarlo nunca jamás.

E, habiéndose quitado un peso de encima, fuese ya a la casa de la plaza de la Fruta para vérselas con el espectro del pozo, pero al llegar fue sorprendida por una noticia.

Las guisanderas, sus amigas, le dijeron que antesdeayer mismo, estando ella en la casa de plática con doña Elvira, habían vuelto los señores. Que Andrés y Martín habían regresado de súbito, estado una hora y vuelto a marchar a la guerra, siquiera sin saludar a su señora madre. Que Andrés había tomado por mujer a su esposa, y que Martín lo había intentado sin conseguirlo. Que las marquesas se habían marchado muy enojadas a su antigua mansión. Que los problemas de doña Elvira, su ama, se habían reducido a la mitad y que había preguntado por ella…

María de Abando se largó rauda naturalmente, no fuera la viuda a pedirle que le devolviera las bolsas que le había dado, disgustada y moviendo la cabeza en razón de que no había sentido ni intuido la presencia de los maridos, y preguntándose por qué su hechizo, el de frotar el saquillo del niño muerto en las partes de varón de los muñecos que representaban a los hermanos Torralba, había hecho tanto beneficio con Andrés y ninguno con Martín; admirada, por otra parte, de que hubiera hecho efecto con sólo pensarlo y horas antes de ponerlo en práctica, mientras aún andaba ella en tratos con doña Elvira, pero lo que se dijo:

—La magia es inestable, inquieta y movediza.

12

Los reyes de Castilla contentaron a los nobles. A los que les quitaron lo que mal tenían del rey Enrique, les dieron otros predios o bien títulos para ascenderlos en nobleza. Lo hicieron en razón de que los que habían sido leales y los que habían sido desleales con sus personas eran parientes entre sí, a más, que tiempo era de acabar con rencillas y resquemores. Así compensaron a Manriques, Ponces de León, Stúñigas, Pachecos, Girones y otros. Contra el arzobispo de Toledo, que había sido su principal valedor durante muchos años y gran traidor luego, no tomaron represalias y lo mantuvieron en el cargo.

Así, calmadas las aguas de la política, Isabel llamó a su médico para que le diera remedios que le propiciaran otro embarazo, pues buscaba un hijo, un varón que le sucediera en el trono, ya que sólo había alumbrado una hija en varios años de matrimonio y estaba deseosa de someterse a la cura que le había propuesto el galeno tiempo atrás.

Pero tiempo le faltaba para dedicar una mínima parte del día a ella, que los sustos y los disgustos no acababan. Que entre unos y otros no la dejaban leer al marqués de Santillana o a Juan Ruiz ni libros de devoción, ni tiempo tenía para confesar con fray Hernando, pues más parecía que Castilla estaba llena de gentes de calaña.

Es que el 31 de julio de 1476 un tal Alonso Maldonado se había alzado en Segovia contra el que tenía el Alcázar de antiguo, el mayordomo Andrés Cabrera, el marido de doña Beatriz de Bobadilla, quien le criaba y le guardaba la hija a la reina Isabel, como va dicho. El tal Alfonso imaginó tomar la fortaleza y apoderarse de la niña para negociar su hacienda con los reyes, pero no logró asaltar la torre, pues la defendía con bravura don Pedro de Bobadilla, el padre de Beatriz. El caso es que la gente de la población se puso contra Cabrera, aunque éste tenía varias puertas de la ciudad ocupadas por sus tropas.

Sabido lo anterior, la reina, que estaba en Tordesillas descansando unos días en la paz del convento de Santa Clara, cabalgó hasta la ciudad sublevada con el cardenal Mendoza, con el conde de Benavente y con Cabrera, que andaban siempre con ella, y se encontró con casas quemadas, con el pueblo alterado y escandalizado contra el odiado mayordomo y su mujer, queriendo que les quitase el Alcázar y el cargo, e le iban con embajadas y no la dejaban entrar. Y claro, como no sabía qué había sido de su hija ni de los guardianes de su hija, Dios ampare a todos, gritó:

—¡Decid a los caballeros y ciudadanos de Segovia que yo soy la reina de Castilla, y esta ciudad es mía, e me la dejó el rey mi padre! E para entrar en lo mío no son menester leyes ni condiciones algunas…

E entró en el caserío con los suyos e fue hacia el Alcázar que estaba dividido entre los de Maldonado y los de Bobadilla, furiosos los dos bandos, a saber cuál de ellos tenía a la niña. Turbados los de Isabel, ella sufriendo y, una vez más, sin marido, que andaba ocupado arrojando a los franceses del Bidasoa. Los segovianos le suplicaron que despojara a Andrés Cabrera de la tenencia de la fortaleza y la diera a hombres naturales de la población, queriendo incluso dar espada al mayordomo, y los de Maldonado también querían negociar con ella. A la vista de lo que había, la reina arrebató la prebenda a Cabrera, dándosela a Gonzalo Chacón, que venía con ella, para que pusiera orden en aquella algarabía, y dejó que la gente de Segovia tomara el Alcázar. Rendidos los levantiscos y aprisionado Maldonado, pudo abrazar a su hija y comérsela a besos, mientras escuchaba de labios de su amiga Beatriz:

—Alteza, don Andrés, mi marido, no ha cometido tropelía contra la gente de Segovia y yo he guardado a vuestra hija mejor que si fuera mía… No he dormido en tres días… He tomado espada por si hubiere de usarla… Todo por defenderla…

—No temas por tu esposo que lo conozco bien, pero he de escuchar a todos… Llamaré a los regidores de la ciudad y que me digan, luego oiré a don Andrés y haré justicia… El de Maldonado recibirá el castigo que merece, pues que al querer tomar a mi hija de rehén se ha levantado contra mí.

—En vuestras manos estoy, mi señora.

—Es menester que mi marido el rey y yo hagamos valer nuestra autoridad en estos reinos para acabar con cuadrillas y sediciones… Tenemos convocadas Cortes en Madrigal, e queremos constituir una Hermandad que ponga orden en todos nuestros dominios, como la que pretendió imponer mi buen padre tiempo ha.

—Yo os serviré siempre, alteza.

—Lo sé, amiga, tú seguirás ocupándote de mi hija, que yo con tanto ir y tornar no la puedo atender, mal que me pese… E dime, ¿come bien? ¿Cómo se cría, qué le gusta? ¿A quién se parece de carácter, a mí o a don Fernando? ¿Cómo pasó el sarampión? ¿Es piadosa? ¿Tiene amigas? ¿A qué juega? Me gustaría tenerla conmigo… Me he llevado un gran susto con esto del secuestro, que no ha sido tal a Dios gracias… Habla, dime de la niña…

E doña Beatriz le decía y le decía.

Isabel hubiera deseado quedarse en Segovia con su hijita, pero otras urgencias la reclamaban. Debía acudir a las reuniones de Cortes para pedir subsidios, pues las arcas reales estaban mermadas después de tanta guerra; luego habría de tratar lo de la Hermandad y también prestar oído al descontento que había por doquiera contra los judíos y, claro, en esos menesteres se le iban el día y la noche.

Leonor y Juana Téllez de Fonseca llamaron a la puerta de la casa de la calle de los Caballeros, llorando y asaz alborotadas.

La bisabuela, que le estaba enseñando a una de las nuevas criadas a preparar la crema de arvejas que se aplicaba en la cara cada mañana, las recibió enseguida, despidió a los sirvientes de la habitación y oyó de labios de sus bisnietas múltiples agravios.

Leonor le expresó sin ambages que su marido la había violentado como no se hace ni con moza de aldea. Juana le comentó que el suyo había intentado hacer lo mismo con ella, pero le había resultado imposible, castigo de Dios, y que estuvo porfiando consigo mismo durante más de una hora, sin conseguir atiesar su miembro. Las dos mostraron su mucha indignación y continuaron con que la suegra y las cuñadas eran malas personas y les tenían envidia porque se hubieran casado con sus hermanos e hijos, como si Andrés y Martín no fueran hombres libres, sino esclavos de la madre, que era mujer de carácter varonil; por tener título de nobleza; por ser más bellas que ellas, más galanas, más donosas y, sacando los pies del tiesto, habían sostenido que hasta les irritaba su manquedad en razón de que sabían llevar su defecto físico con la cabeza alta.

En las cocinas, las dos esclavas moras le decían otro tanto a Catalina con toda suerte de pormenores, y aún añadían que las Torralba habían invocado al diablo para malquistar entre los esposos, que había una hija que conversaba con un alma en pena que estaba encerrada en un pozo situado en la huerta.

125

Doña Gracia, oídas las bisnietas, permaneció dos días en su aposento reflexionando; al tercero les pidió mayores explicaciones y detalles, del cuarto al noveno lloró lo suyo, y al décimo llamó a la viuda Torralba a su presencia.

En el tiempo de cavilación y cálculo, la dama se dijo que los interiores, las entretelas y los negocios del matrimonio no son de opinar por personas ajenas, aunque se trate de parientes carnales pero, como sus descendientes le pedían ayuda explícita con sus palabras e implícita con sus lágrimas, a más que le vino a la boca el orgullo de los Téllez, consideró afrenta lo hecho a sus bisnietas por los dos maridos, la madre y las tres cuñadas, y decidió tomar cartas en el asunto.

Antes de ver a los Torralba consultó al obispo y, siguiendo sus consejos, llamó a Pedro Alfar, joven y prometedor abogado, y le expuso el caso sin tapujos:

—Sepa su merced, señor licenciado, que tengo dos bisnietas gemelas, que no tienen padre, ni padre ni hermanos, que yo soy su pariente más próxima. Que, debido a una desgracia inexplicable que se dio en su nacimiento, son mancas y que, como se organizó jaleo en el aposento de la madre por la tara que traían las nacidas, no se sabe cuál de las dos nació primero para heredar el marquesado... Pero esto no me ocupa, pues que ambas se llevan bien y se quieren con cariño verdadero... La razón por la que os he llamado es porque mis descendientes maridaron va para dos meses con dos hermanos... E sucedió que sus maridos no las tomaron por mujeres la noche de las bodas ni luego, al menos en dos meses, pues que se alistaron en las guerras del rey nuestro señor... E va para diez días regresaron, y a una dellas su marido la violentó pero a la otra, aunque el esposo llevaba las mismas aviesas intenciones, no. No la violentó porque no se le irguió el miembro viril y no pudo... E ahora me encuentro con mis dos bisnietas tratadas como villanas, llorando por la afrenta recibida, pues que son marquesas de Alta Iglesia y mi familia tiene esa casa desde el glorioso rey

Alfonso VIII, el de las Navas de Tolosa, y una dellas, con la violentada, empreñada, o al menos tal asegura, pues es pronto para evidenciar su estado…

—¿Vuestras nietas, las marquesas, han abandonado el domicilio conyugal?

—¡Sí!

—¿Han aportado mucho al matrimonio?

—¡Sí!

—¿Hicieron capitulaciones?

—¡Sí!

—¡Éste es un caso complicado, señora!

—¡Lo sé, Alfar, por eso os he llamado!

—Me hace su merced grande honor…

—Sois doctor en ambos derechos por la Universidad de Salamanca, ¿no?

—¡Sí, señora!

—¡Pues estudiad el asunto y decidme cuanto antes lo que sea menester!

Mientras la bisabuela andaba con el licenciado, Juana rezaba arrodillada ante la capilleta del gran comedor, ya restaurada y magnífica, pues doña Gracia había llamado a los doradores, pero sin querer comer, ayunando, como si le hubiera dado mística. Leonor, en cambio, pasaba los días en el jardín, donde había buena luz, acompañada de Wafa, tratando de descifrar el pergamino que había en la arqueta encontrada en el ara del altar, que no era el cofre del tesoro de los Téllez, o como si no lo fuera, pues tal acordaron las dos. Y lo poco que salían de casa era para llegarse a la Albardería a recorrer los puestos de baratillo para ver si encontraban un ejemplar de El Corán, y poder corroborar que lo escrito era la primera aleya del libro sagrado de los musulmanes, pues lo que rezongaba Leonor:

—De ti, querida Wafa, no me puedo fiar en esto de las aleyas, pues hace años que no ayunas para el ramadán y muchos meses que no vas siquiera a la mezquita los viernes.

—No puedo ir, Leonor, no me dejas. Estoy día y noche sirviéndote… Hay jornadas que no tengo tiempo para hacer las abluciones, luego el Señor Alá me lo tendrá en cuenta a mí…

—¿Me lo recriminas?

—¡Yo te quiero, Leonor!

—¡No empieces con que me has criado desde la cuna!

—¿Acaso es mentira?

—Oye, lo que no se me alcanza es cómo aprendiste a leer y a escribir árabe si te raptaron los piratas cuando tenías cinco años y te compraron mis abuelos.

—¡Ah, había tantos criados moros en casa de tus abuelos, Leonor, ellos me enseñaron…! Decían que debía aprender la lengua musulmana por si llegaba otro don Abderramán III… A leer y a escribir en castellano aprendí a la par que tu señora madre…

—Bueno, ea, a lo nuestro, Wafa…

—Vamos, Leonor… A Mahoma, el mayor alfaquí, hónrele Dios, me encomiendo, a Fátima, su hija y a Mahoma, hijo de la dicha hija…

—Por el sufrimiento del Nuestro Señor Jesucristo en la cruz. Amén.

Con una parte de su dinero en casa y otra enterrada bajo la tapia de las Gordillas, es decir, descansada de sus preocupaciones monetarias, María de Abando volvió a la casa Torralba, acompañada de su perro *Mot*, cierto que muy turbada de mente por lo que había sucedido con el encanto que les hiciera a Andrés y Martín, que había producido resultados tan dispares antes incluso de llevarlo a efecto.

Llamó a la puerta muy temprano, dispuesta a pedir un objeto que hubiera pertenecido al dicho Martín para hacer otro conjuro, pero dio la casualidad que en aquel mismo momento la viuda salía a misa de siete con las dos guisanderas y, vaya, se la llevaron al oficio con ellas, pues aunque le tenían confianza no le tenían tanta como para dejarla que anduviera a sus anchas por la mansión.

En aquella jornada la bruja de la calle de las Losillas –que ya la llamaban de ese modo las comadres de la vecindad porque los predicadores la habían emprendido contra ciertas mujeres que se ganaban la vida trapaceando y no sólo con picardías y enredos o alcahueteando, sino invocando a los demonios y sacando huesos de niño de los cementerios para hacer sus hechizos y echar sus maldiciones… A los demonios, ay, que a su vez ayudaban al turco que estaba a punto de desembarcar, o había desembarcado ya, con una poderosa armada de más de cien bajeles en el sur de Italia, dispuesto a conquistar castillos y ciudades de la cristiandad– se demoró en todo lo que llevaba pensado hacer.

Perdió la mañana porque el sacerdote que celebró misa de siete en San Juan, al terminar no cerró el misal y María, como había oído decir a su madre, no se atrevió a salir del templo:

–Si alguna vez, hijita, estás en misa o en las horas o en vigilia en una iglesia, que puedes ir si te place, mientras el preste no cierre los libros sagrados no salgas o te sucederá algo malo.

Y claro, le dieron las nueve, las once y las doce, hasta que el cura le dijo que iba a cerrar la iglesia, entonces ella salió pese a que estaba el misal abierto, porque no se aventuró a explicarle qué problema tenía, no fuera a descubrirla bruja, y en eso se torció todo. Porque tanto tiempo su perro solo en la calle, cuando fue a buscarlo, lo encontró medio muerto, pues que unos zagales, Dios les dé mal galardón, le habían pegado con palos, tal le informaron las buenas gentes.

Un gran dolor se apoderó de ella, que se llevó el bicho a su casa en brazos e le curó las heridas con tintura de yodo y lo acarició hasta que se le murió en el regazo. Y al día siguiente se acercó a la tapia de las Gordillas, donde enterraba lo que le era querido, y dio sepultura al can.

Y estaba tan conturbada, porque lo que es un perro para su amo sólo lo sabe él, que casi no escuchó lo que le decía Mingo, al que encontró en el postigo del Obispo. Al buen Mingo, que venía a despedirse della porque, acabada la guerra con el reino de Portugal, se había alistado en una milicia llamada Hermandad, cuyo cometido era combatir a los muchos ladrones y trotamundos que poblaban el territorio de Castilla. Casi ni le dijo adiós y, vaya, luego lo sintió.

El caso es que con tanta demora, cuando se presentó en la mansión Torralba a pedir un objeto de Martín encontró la puerta cerrada e tornóse a su hogar. Donde, tragándose la pena por la muerte de *Mot*, perseveró con sus hechizos, y, pese a no tener una cosa de Martín, hizo un círculo, un cerco en lenguaje de aquelarre, en la ceniza de la chimenea, e dibujó esta vez a Martín y a Juana, mucho más pequeña Juana. Puso luego un cordel entre uno y otro, haciendo casi lo mismo que hacía el sacerdote en la misa de velación de las bodas, y encendió tres candelas, una para Santa María, otra para San Juan y otra para San Pedro, y estuvo hasta muy entrada la madrugada tocando las partes pudendas del muñeco que representaba a Martín con el saquito del niño malparido, tratando de servir a la viuda Torralba que, vive Dios, nunca sabría que por cumplir su manda habría de pasar noches enteras sin dormir.

Al día siguiente, ay, le esperaba otro disgusto, porque cató en agua clara de beber lo que había de suceder entre los esposos y no vio lo que buscaba, sino otro negocio bien diferente… Vio que habría de llover recio sobre la ciudad de Ávila durante siete días y que con tanta agua habrían de pudrirse las cosechas, lo que se le daba un ardite en aquel momento ciertamente… Así las cosas, le vino desazón porque ya no era lo que había sido, o lo que pretendía o creía ser, o porque se había muerto el can o porque se había ido el Mingo, y eso que tenía el zaguán lleno de gente… Una madre con un niño de cuna para que le quitara los demonios; una mujer que quería un

130

remedio para parir sin dolor; otra que deseaba quedarse preñada y, vaya, que largó a todos. Bien sabía que estaba nerviosa, y como le salían mal los hechizos no quiso hacer un desaguisado con aquella pobre gente que le pedía alivio, y eso que tenía bien claro qué hacer con ellos. Al niño frotarle todo el cuerpo con la piedra de la serpiente; a la mujer que pedía parir sin dolor ponerle una esmeralda envuelta en cuero de ciervo atada en el muslo izquierdo, y a la otra, a la que pedía preñez, moler piedra del azul, ¿piedra del azul o la que atrae el tósigo? Dama de Amboto... revolverla en leche de mujer y aplicársela en la natura para que, tras yacer, se empreñara...

Pero, como dudaba y de un tiempo acá le salían mal los conjuros, largó a la parroquia. Alegó que desde la mañana temprano sufría vahídos... Es más, viendo la cara que le ponían hizo como que se desmayaba y las tres mujeres que la esperaban se desvivieron por ella, incluso le dieron a beber una tisana de valeriana para apaciguarle los nervios que llevaba, que presagiaban malas venturas.

13

La reina Isabel de Castilla, de León, etcétera, antes de iniciar viaje a Andalucía para poner orden entre los hombres que hacían el corso en la mar y paz entre el duque de Medinasidonia y el marqués de Cádiz, que parecían los amos de aquella tierra, volvió a hablar largo con el médico judío Lorenzo Badoz, pues que en sus años de matrimonio sólo había tenido una hija, preciosa, sí, pero sólo una, a más de un embarazo que se le había malogrado cerca de Tordesillas, dejándole grande dolor físico y profundo abatimiento.

El médico le propuso someterla a una cura contra la esterilidad momentánea –tal aseveró con vehemencia– que padecía puesto que, bendito sea Dios, había sido capaz de traer una hija al mundo, y la ilustró largo sobre el procedimiento a seguir:

–No se pueden pedir resultados ciertos a lo que seguido os diré, alteza, pero se aprecian beneficios con este tratamiento según el doctor Agnani de la Universidad de Bolonia, que sigue en su obra al gran Maimónides...

–Decid, buen Badoz...

–Mi reina y señora, ¿tenéis mala gana de comer, antojos, desmayos o hinchazón de pechos?

–No.

—Entonces podemos proceder... Para vencer la dificultad del embarazo, lo primero que deberéis hacer es permanecer tres horas inmóvil en el lecho tras el acto carnal y, si queréis traer al mundo varón, dormir siempre del lado derecho y sobre un paño bermejo.

—No veo inconveniente. Doña Clara, ¿tenemos paño bermejo?

—Lo buscaremos, alteza.

—E por la mañana, al desayunar, tomaréis, alteza, un preparado de cuatro onzas de aguamiel a razón de cuatro partes de agua llovediza... Cuando sintáis dolores de vientre será señal de preñez...

—¿Es agradable de tomar?

—Sí, mi señora... Vuestras camareras observarán si tenéis olor en la boca al despertar y si hay bermejura en vuestros pechos...

—¿Oyes, doña Clara?

—Sí, alteza.

Ido el médico, la mayordoma recomendaba a la reina que no bebiera tanta agua fría y mejor dejara el negocio en manos de Dios. Lo mismo que le decía fray Hernando de Talavera, su capellán, que añadía que despachara presto al judío, pues que no creía en Dios. Pero Isabel les respondía que el asunto llevaba mucho tiempo en manos de Dios, que no se quedaba encinta y que necesitaba un hijo varón, por la cuestión sucesoria.

Y como ni el dormir de tal manera, ni el reposo después del acto, ni el aguamiel en ayunas le hacían favor, pese a que yacía con su marido, presto el médico cambió de remedio y le preparó en su botica un compuesto de manzanilla, coronilla de rey y sabina, de cada uno un manojo; anís, alcaravea, de cada uno, una onza; dos onzas de miel rosada colada; un dracma de sal común; todo mezclado y hecho medicina según arte. Pero, aun poniendo muchas esperanzas en el preparado que la señora se tomaba cada día en ayunas, volvió a fracasar estrepitosamente. Y ni San Juan Evangelista, a quien le tenía mucha devoción la reina, ni que ésta diera limosna a monasterios y conventos, ayudó.

Así las cosas, como doña Isabel se ponía nerviosa también de la ineficacia de los brebajes y ya no podía dilatar más el viaje a Andalucía, que había disturbios en Sevilla a causa de ciertos judíos conversos, lo abandonó todo ciertamente aliviada.

La gran dama sufría, y mucho más cuando el galeno pretendió ponerle emplastos de agua y almizcle debajo del ombligo, untar sus partes bajas con aceite de muscabellino, que una partera la examinara por dentro y que un barbero le sangrara la vena safena. Entonces dijo taxativamente que no, para desahogo de doña Clara y de fray Hernando, que habían padecido mucho por ella y no habían dejado de aborrecer aquellos métodos, a más de dicho mil veces que creían más en Dios que en el médico, como es de razón.

Y menos mal que la cura permaneció silenciada, pues a saber en qué hubieran quedado los loores que la señora recibía de sus vasallos de haber conocido que, queriendo enmendar lo que no compete a hombre ni mujer, se había sometido de grado a semejantes tratamientos, cuando las cosas del nacer y del morir son de Dios en exclusiva, cierto que las del nacer con cierta ayuda.

Mientras esperaba el dictamen del abogado, doña Gracia Téllez pretendió en vano platicar con sus bisnietas para comentar las diferentes situaciones. Hubiera querido hablarles juntas y por separado, pero no lo consiguió: Leonor, como si hubiera renacido en su corazón el ansia de encontrar el cofre del rey moro, andaba con Wafa en el jardín horas veinticuatro tratando de descifrar el pergamino; y, ay, Juana pasaba el día y buena parte de la noche arrodillada delante el altarcillo, rezando e dándose golpes en el pecho, como si tuviera alguna culpa de lo sucedido.

La dama, aunque pareciera contrariada y tratara a las criadas con cierta acritud, cuando se ponía en la piel de sus bisnietas cavilaba para sí que mejor se distrajeran cada una a su modo, buscando el tesoro o rezando, para que no se dejaran abatir por el grave problema que tenían: el de su matrimonio.

Así las cosas, sin interlocutoras, andaba la señora diciéndose que, aunque no tuviera experiencia en pleitos ni menos de tal índole, que sus dos casamientos habían resultado aceptables a los ojos de Dios y de los hombres, como había vivido tiempo sobrado para dirimir entre lo justo y lo injusto y poseía sentido común, tenía obligación ineludible de enmendar su propia necedad, pues no en vano prácticamente había obligado a sus bisnietas a maridar. Había empleado sus artes de persuasión a fondo y conseguido ilusionarlas por los novios respectivos y, como eran bobaliconas e inexpertas, las dos se habían dejado entusiasmar un poquico, lo suficiente para presentarse libres ante el altar de Dios.

Y no era que la marquesa se echara culpa de lo hecho ni menos de lo ocurrido, que no se podía prever de primeras, ni menos de lo pretendido, que era bueno en esencia y bendito de Dios dejarlas bien casadas antes de que el Señor la llamara a su lado; era que de una forma u otra estaba dispuesta a resolver los problemas de sus bisnietas aunque fuere lo último que hiciere en este mundo… Ya fuera arreglando el negocio con la viuda Torralba a las buenas, ya sobornando a los jueces o llegando a una componenda con el obispo o acudiendo a los servicios de María de Abando, no le tuviera Dios en cuenta tales desatinos, pues que era anciana y se encontraba en enojoso aprieto.

—¿Qué estarán haciendo ahora? —se preguntaba de tanto en tanto y llamaba a Catalina—. ¿Qué hacen mis nietas?

—¡Ah! —exclamó la cocinera. Y añadió—: ¿Manda algo más la mi señora?

135

—No, Catalina, no —respondía y tornaba a sumirse en sus pensamientos.

La cocinera, desde el mismo momento en que se enteró de la violencia que había hecho Andrés a su esposa, de que Martín había resultado impotente con la suya, de la inquina que las marquesas habían soportado por parte de las cuñadas y del tratamiento que les había dado la viuda Torralba, consciente, además, de que los matrimonios son para toda la vida y de que el negocio tenía mala solución, estaba triste, muy triste, y recorría la casa hablando sola, mascullando:

—¡Ya lo decía yo, mil veces lo dije!

E se detenía en la puerta del aposento de doña Gracia para oírla susurrar:

—*Porca miseria!*

E se iba algo más aliviada, como si le contentara la exclamación de la señora, quizá porque las penas compartidas se soportan mejor.

Al noveno día del regreso a casa de las marquesas, tornó el licenciado Alfar, ensopado, pues que llevaban cinco días cayendo una lluvia espesa, espesa, en la ciudad de Ávila. Llamó al postigo y pidió hablar con doña Gracia, que lo recibió en el gran comedor, sentada en un sillón al lado de la chimenea, bajo el retrato de don Beppo, con los espejuelos puestos. Y dijo:

—Señora marquesa, he estudiado con detenimiento el caso de vuestras nietas…

—¿Sigue lloviendo, Alfar? ¡Catalina, llévate la capa del licenciado y sécala!

—Gracias, señora.

—Decid, Alfar, decid…

—Son dos casos.

—¡Sí, hablad!

—Las dos han abandonado el domicilio conyugal.

—En efecto.

—Una de ellas ha sido tomada por mujer por el esposo con mucha violencia, siendo que es noble y merece respeto… La otra permanece inmaculada porque el marido no pudo…

—¡Sí, seguid!

—Lo de haber abandonado el domicilio conyugal mereció pena capital para Dalanda Álvarez, vecina de esta ciudad, que fue ahorcada hace veinte años en la plaza…

Un escalofrío recorrió a la dama e fue a hablar, pero el abogado la interrumpió:

—Si me permite vuestra merced… Sin embargo, diez años después del primer suceso, Petra González, acusada de otro tanto, al ser perdonada por su marido, sólo tuvo que abandonar la ciudad…

—Mirad, mozo, yo no quiero saber de Dalandas ni de Petras…

—Digo lo que digo, la mi señora, porque es menester saber a las claras en qué lugar nos encontramos.

—Nos encontramos en mal lugar y en situación apurada. Continuad…

—Y vuestra señora nieta, la que está empreñada, ¿ha vuelto a decir que se encuentra en tal estado?

—¡No!

—¿Por qué no? ¿Acaso ya cree que no lo está?

—¡No lo sé, no desea hablar de ello!

—Es razonable… No obstante…

—¿Qué, Alfar, qué? ¡Os voy a pagar lo que pidáis, sea mucho, poco o lo justo!

—No voy a hablar de dinero con vuesa merced, tomaré lo que tengáis a bien darme… Sería de suma importancia que yo platicara con vuestras nietas…

—No hablan siquiera conmigo, señor licenciado… Están ocupadas…

—¡Ah!

—Seguid…

137

—Con vuestra nieta la que permanece doncella no hay caso; se alega matrimonio no consumado e vuelve a su casa con lo que llevó de dote, e si no se la tornan ponemos pleito...

—El asunto está en la otra... Bien lo sé... ¿Y qué?

—No podemos alegar violencia porque no figura en las Partidas...

—¿No había mujeres en la época del Rey Sabio?

—Alegar no podemos alegar nada, lo que sí podemos es tratar de que los esposos se separen de mutuo acuerdo, pero, si la dama está encinta y el padre pide el hijo para sí, será para él... Podemos manifestar que la familia del marido ha malquistado y ha metido el diablo entre los esposos y que no pueden convivir, e compensar al marido de algún modo... O sostener que entre ellos había tan mal solaz que hubieran acabado muertos los dos...

—No hablemos del posible hijo, que puede ser mera ilusión...

—¿Y la dama qué dice del hijo?

—No dice nada; insisto en que no habla...

—Ha sufrido tan grande impresión que es comprensible.

—Ya podían los doctores y licenciados de las universidades enmendar el desvalimiento que padece la mujer.

—¿Desvalimiento? Perdonad que os contradiga, señora marquesa; la fémina, como ser débil que es por su natura, está protegida, mismamente como los niños que están salvaguardados incluso antes de abandonar el vientre de la madre...

—¿Qué salvaguarda tiene la mujer si le toca un mal marido?

—Marquesa, vayamos a lo que nos ocupa —rogaba el mozo, rojo como la grana y sudoroso.

—¡Ea!

—Con doña Leonor está la disyuntiva...

—¿La disyuntiva?

—Primero, será menester saber si la dama se quedó empreñada o no cuando la violentó su esposo...

—Alfar, cualquier embarazo se puede ocultar... Id a estudiar más, leed las Partidas de principio a fin, encontrad algún resquicio, qué sé yo: que no se ha visto marquesa maltratada en la historia de España... Leed el Fuero Real... Consultad con un tal Montalvo, que ha recibido encargo de los reyes, nuestros señores, para recopilar las antiguas leyes... Del posible embarazo no os ocupéis, que lo haré yo... Trata el caso como afrenta... Probad de acudir a la reina... E ahora id con Dios...

E lo que pensó la dama cuando el licenciado abandonó la habitación, que andar con leguleyos no es bueno, pues que el mozo quería pleitos y no pactos. Que no había insistido en hablar con la viuda Torralba y aprovechar la circunstancia de que tampoco se hallaba en una situación muy airosa precisamente. No obstante, envió a Catalina por los mercados a que se enterara por lo menudo de las historias de aquella Dalanda y de la tal Petra, las que le había mencionado el abogado.

Al décimo día de la llegada de las marquesas a casa, tras corroborar las historias de la Dalanda y la Petra, doña Gracia llamó a la viuda Torralba después de consultar a sus bisnietas que, sin atenderle apenas, le contestaron que hiciera lo mejor para ellas, palabras que la halagaron sobremanera, pues hacer por ellas era hacer por toda la familia.

Mientras doña Gracia Téllez quería deshacer los matrimonios de sus bisnietas, María de Abando deseaba recomponerlos, pues no en vano había cobrado por anticipado doscientos maravedís de la viuda Torralba, como va dicho. El caso es que, la dama deshaciendo por un lado y la bruja tratando de rehacer por otro, el negocio ni se descomponía ni se recomponía, y tiempo pasaba y el niño se asentaba en el vientre de Leonor.

Si la dama hubiera sabido que la ensalmera estaba trabajando en el asunto, e si la bruja hubiera tenido noticias de las intenciones de la marquesa, tal vez hubieran podido ponerse de acuerdo y de ese modo no se hubieran entrecruzado las acciones de doña Gracia con los encantos de María que, una por acá, otra por allá, vinieron a complicarlo todo, y eso que por un momento pareció que se resolvía el caso satisfactoriamente.

María, al fallar una y otra vez con los dibujos en la ceniza del fogón, hizo unos muñecos de miga de pan, lo único que tenía a mano en aquel momento y, vuelta a fracasar, otros de arcilla, pues que su ánimo no se vino abajo.

Pasados los ocho días de lluvia, que anegaron la ciudad de Ávila y desbordaron el río, cuando remitieron las aguas y los lodos que perdieron las cosechas de la comarca, la mujer salió todas las noches de su casa al tocar las doce campanadas en el reloj del hospital de Santa Escolástica con los dos muñecos envueltos en un trapo color bermejo. Buscaba un campo baldío y trataba, primero mirando a levante, luego a poniente, luego al norte y al sur, de hallar buenos vientos en cualquier latitud. E haciendo un cerco con un palo de un palmo al menos de profundidad para que de allí no saliera ni un suspiro, extendía el paño bermejo, colocaba los muñecos, los ligaba con un cordel bermejo también y echaba conjuros por doquiera:

—¡Martín, Martín, escúchame que tienes el hinojo hincado y quiero alzártelo!

O:

—¡Martín no te vayas con cualquier mujer, que vengas a Juana!

O algo semejo. E a la mañana se personaba en casa Torralba con un odrecillo de aguardiente para sonsacar a las cocineras, contenta, pues que recordaba de principio a fin las lecciones de su madre. Contenta, pero no alborozada en razón de que llevaba casi dos meses con los ensalmos sin alcanzar resultados concretos; consciente, no obstante, de que lo hecho estaba dejando honda mella en los corazones de Juana y Martín; y eso que todavía no había agotado sus recursos, pues le quedaba por hacer lo de prender fuego a una hoguera e invocar al demonio.

E oía de las cocineras:

—Te aseguro, María, que nuestra ama la señora Elvira anda en tratos con doña Gracia.

—¿Desea volverlos a juntar?

—Yo te diría que sí.

—Pero Andrés no quiere...

—Ni Martín tampoco...

—¿Cómo?

—Los dos le escriben a su madre desde Segovia e le dicen que se van frailes al convento más lejano del mundo...

—Les sucede que están avergonzados...

—No es para menos.

—También doña Elvira se lleva mucha trápala con sus hijas...

—¿Catalina, la hija mayor, ronda el pozo del espíritu?

—Nuestra señora nos ha prohibido hablar del espíritu del pozo, pues que luego hay pavores en la casa... Nosotras no hablamos de lo que no nos deja y cumplimos sus órdenes.

—Os traigo cinco maravedís a cada una, y el aguardiente...

—¡Déjanos el odre, que nos lo beberemos luego!

—E trae los dineros.

—Cinco para ti, cinco para ti... Decidme...

—Andrés, después de violentar a doña Leonor, fuese con la barragana que tiene en el rabal del San Nicolás e la dejó empreñada... Se lo ha dicho a su madre en una carta...

—¡Jesús, María!

—Lo que les sucede a estos mozos es que en presencia de sus mujeres se les hinca el hinojo porque son mancas y les viene el miedo...

—Son mancas, pero se valen por sí mismas, e son bellas y tienen galanía y muchos millones de maravedís...

—Sí, pero el miedo es el miedo y a veces no se puede reprimir.

—Es cierto.

—Vete ya, María, que tenemos faena.

—Dios con vosotras…

E aquel día la bruja de la calle de las Losillas, después de la conversación, abandonó la mansión muy enojada consigo misma… ¿Cómo, pardiez, había representado el muñeco de Juana Téllez de Fonseca con las dos manos cuando era manca? ¿Acaso estaba necia?

Con ánimo de remediarlo de inmediato, en cuanto llegó a su casa cogió el muñeco de Juana y le cortó de un certero tajo con un cuchillo la mano izquierda, la que no tenía la marquesa.

14

Tres mil personas, cuatrocientos carros, millares de caballos y acémilas constituían el séquito de los reyes de Castilla. La población salía a los caminos a saludar a la comitiva y a gusto se hubiera acercado a los señores, pero era detenida por los mayordomos, para no lamentar desgracias pues, aunque la Hermandad cumplía a satisfacción su cometido y limpiaba los caminos de ladrones, salteadores y violadores de mujeres, ahorcando del primer árbol que hubiere a los que menester fuere, era preciso andar con tiento y con mil ojos, pues una cosa era que aldeanos y villanos vitorearan desde la ribera del camino y otra que pretendieran acercarse a los reyes queriendo besarles las manos ó llevarles un cestillo de fruta o un boto de vino, en razón de que mezclado entre la gente sencilla podía haber un homicida que ocultara en el cinto un puñal asesino.

A más, que sucedió varias veces a lo largo del camino que, enviados los aposentadores por delante para que prepararan tal casa o palacio, en algunas ciudades y villas los señores que las tenían del rey Enrique negaron la entrada a los reyes, y en más de una ocasión hubo que porfiar y amenazar a los que tenían las torres, que los habitadores siempre estuvieron del lado de los soberanos.

Un 24 de julio, tras dejar atrás Talavera, Cáceres y Plasencia y otras muchas poblaciones, la reina hizo su entrada triunfal en Sevilla por la puerta del río, e había tanta multitud dándole la bienvenida que tardó más de tres horas en llegar al Alcázar. Ella sola, en razón de que su señor marido se había quedado pacificando la sierra. Le fue hecha grande recepción por el duque de Medinasidonia, que mandaba allí desde el tiempo del rey Enrique y le entregó las llaves de la ciudad, por los veinticuatro, los oficiales reales, la clerecía y por el pueblo, que ondeaba banderas con el *Tanto Monta*. Un mes después llegó don Fernando y se le hizo otro tanto recibimiento.

Así las cosas, los reyes, aposentados en el Alcázar, se holgaron y tuvieron mucho placer, pues había en la Corte condes, duques, abades reglares y seglares, comendadores y muchos grandes caballeros de Castilla, de Aragón y hasta de Sicilia. Y en esto, una noche en la que el postigo estaba ya cerrado, se presentó sin avisar el marqués de Cádiz, don Rodrigo Ponce de León, que tenía Jerez de la Frontera en su gobernación y era contrario al de Medinasidonia. Los reyes lo recibieron y él les besó las manos e les entregó las llaves de sus castillos. Los señores, viéndolo mozo y aguerrido, le dieron su amistad y lo metieron en su consejo, atinando pues que el joven les haría mucho servicio en las guerras venideras.

La reina pasaba los días yendo de acá para allá y navegando por el Guadalquivir hasta Sanlúcar para ver el mar. Como había nacido tierra adentro, se maravillaba de las tonalidades, del movimiento y la inmensidad del agua, y se entretenía paseando por el camino de las Afueras, parejo a la ribera del río, o comentando con sus damas la visita del marqués de Cádiz, diciendo de él u oyendo:

—Don Rodrigo Ponce de León bien pudiera ser don Lanzarote del Lago por la mucha galanía que emana de su persona.

—Es gallardo y gentil.

144

—Y osado como pocos, pues que hace la guerra al moro por su cuenta…

—Nos servirá bien cuando don Fernando tome la dirección de la guerra…

—¿Es cierto, alteza, que vos y el señor rey tenéis en mente dar batalla sin cuartel al sarraceno?

—Es cierto… Tomaremos el reino de Granada, primero por la parte de occidente, e luego por oriente.

La reina, por la mañana despedía a su marido, que andaba sitiando la fortaleza de Utrera, pero a la noche la visitaba en la cama con más frecuencia que nunca, y así estaba, descansando. A veces pensando en volver a empezar con los remedios del médico judío, el que la había tratado de su esterilidad infructuosamente, amén de peregrinar por los conventos e ir de Santa Ana a Santa Paula, de Santa Paula a Santa Clara, andando, para pedir favor a las santas, sin dudar que alguna le haría merced, pues no en vano eran mujeres y la entenderían, y de ese modo lograría su deseo de quedarse empreñada.

Ya se murmuraba, mucho más los pobladores de Sevilla, que eran lenguaraces en demasía, que los reyes no tenían más que una hija y le echaban la culpa a ella, que hasta el doctor Badoz había sostenido meses atrás que la falta de hijos es achacable a la mujer y no al marido, máxime a aquel marido que ya tenía dos descendientes. Uno, la infanta Isabel, otro, un bastardo. Un niño de siete años, que sería nombrado arzobispo de Zaragoza si sus mentores, entre ellos el propio rey, meneaban bien los hilos en la Corte de San Pedro de Roma.

Y por tanto ir de convento en convento, doña Isabel un buen día se sintió embarazada. Precisamente el que salió de Sevilla para acercarse a la aldea de Los Palacios, situada en la marisma del Guadalquivir a dos leguas de la capital, para saludar a un cura, dicho don Andrés Bernáldez, párroco del lugar, que redactaba una crónica della y de su esposo el señor rey. E se llegó hasta allí porque quiso conocer a aquel hombre que escribía por su cuenta, sin manda ni pensión.

Fue recibida por las autoridades, por el cura Bernáldez, que no cabía en sí de gozo, y por los setecientos vecinos a la puerta de la iglesia, que estaba llena de flores.

La reina se sentó en una silla e dejó que todos los habitadores le besaran la mano; es más, escuchó a una viuda que le fue muy llorosa, e hizo que le dieran cien maravedís para que pusiera una lápida digna en la tumba de su esposo y arreglara su casa, cuyo tejado se había desmoronado a consecuencia de una gran tormenta habida. Y escuchó a los mozos que le cantaban unas canciones muy sentidas y alabó a las niñas que, vestidas con trajes de muchos volantes, bailaban muy serias, para ella, meneando los brazos y zapateando fuerte en el suelo. A la atardecida dio por terminados los homenajes e con unas cuantas damas fuese con el regidor y el cura Bernáldez a la rectoría. Y comentóle a éste:

—Se dice, padre, que escribís desde los doce años...

—Sí, mi reina y señora, mi abuela me animó a ello. Una noche me interrumpió cuando le leía un libro y me dijo: «¿Por qué no escribes de las cosas de ahora? No hayas pereza de escribir las cosas buenas porque las sepan los que después vinieren».

—¿E vuestra abuela os hizo servicio o deservicio?

—Servicio, señora. Sepa vuestra alteza que disfruto...

—También Pulgar y mosén Diego de Valera e tantos otros...

—Me propuse dejar memoria de las cosas hazañosas de mi tiempo.

—Buen propósito; de ese modo las gentes habrán placer de leer u oír lo sucedido.

—Cierto que lo que escribo es ajeno a mi oficio... Si Dios me da salud lo haré, invicta señora, hasta que el reino moro de Granada caiga en manos de cristianos...

—Dios os escuche... Ea, leedme algún párrafo de esas memorias vuestras.

—Lo haré, señora, pero tened en cuenta que *quod vidimus testamus...*

—Leedme donde no salga yo ni mi esposo...

E fuese el cura a su escritorio e sacó unos legajos, buscó unos papeles e comenzó a leer sin que se le trabucara la voz, pese a que estaba rojo de emoción:

—Corría el mes de agosto del año de gracia de mil y cuatrocientos setenta y cinco, e andaba yo confesando e oí muy recia lluvia e lleguéme a la puerta de la iglesia e observé que caían piedras de granizo grandes como huevos de gallina, haciendo temblar el campanario de tal manera que comenzó a crujir e apercibíme de que la tierra bullía y se estremecía y el agua de los pozos se alzaba e daba gran golpe de vuelta... E acerquéme al altar muy alterado llamando a Jesucristo y a la Virgen Santa María... Todo pasó en poco compás de tiempo, en poco más de lo que cuesta cantar el salmo *De profundis*... E se cayó un pedazo del tejado de la iglesia e mató a dos mujeres que venían a recogerse, Dios las tenga con Él, pues todos con espanto creían que era venido el fin del mundo... E quiso el Señor que cesara la tormenta...

La reina hubo de interrumpirle pues que le vino un terrible dolor al vientre y se sintió indispuesta, e fuese a descansar a los palacios que había edificado el rey don Pedro. Y una vez allí, recuperada de aquella punzada que la había dejado sin habla, quitó importancia al dolor sufrido, sostuvo que era cosa de mujeres, actuó como si nada e incluso comentó con sus damas que Bernáldez era más humilde que Hernando del Pulgar y mucho más que Diego de Valera, y lo achacó a que el cura no tenía empleo oficial. Y, como se había complugado con las memorias, encargó a don Gonzalo Chacón que le pidiera copia al autor para leerlas con calma y que le diera dinero sobrado para reparar la iglesia, no fuera a caer otra tormenta y se llevara a más feligreses al otro mundo, Dios no lo permita.

Ahora bien sabía lo que le pasaba: que estaba empreñada. Por eso cuando se quedó sola con doña Clara, se lo dijo:

—Doña Clara, creo que estoy encinta.

—¡Albricias, me alegro por ti, niña! Me alegro por vuestra alteza —se corrigió la dama, levantando los brazos al cielo.

Y sí, sí, loado sea Dios.

La viuda Torralba se presentó en la casa de la calle de los Caballeros con los ojos arrasados de lágrimas y sin ninguna compañía. Fue llevada al gran comedor, donde esperó largo rato con la cabeza gacha. Doña Gracia, después de entrar en el aposento y sentarse, le dio su mano a besar, incluso permitió que se la besara más de la cuenta, más allá de la cortesía y, consciente de que la gente burguesa se amilana a veces ante la noble, decidió tirar por aquel camino y atacó:

—Señora mía, doña Elvira, sabed que estoy muy enojada, a punto de acudir a la reina para que ella me haga justicia en persona... Si no lo he hecho todavía es por evitar que eche a volar el desdichado resultado del matrimonio de mis señoras nietas, pues hay cosas tan vergonzosas que mejor taparlas...

—Si viviera don Pedro, mi marido, no hubiera sucedido nada de esto —asentía la viuda gemiqueando.

—Nunca una Téllez ha recibido afrenta semejante... Mis antepasadas, todas marquesas desde el buen rey Alfonso VIII, el de las Navas, que otorgó a don Tello Téllez, mi antepasado, título de nobleza, han sido tratadas conforme a su rango por sus maridos, y hablo de trescientos años... Las mujeres de la casa hemos estado sirviendo a nuestros señores los reyes, que es lo mismo que servir al reino como bien sabéis, con dedicación, desprendimiento y anhelo al lado de nuestros maridos, que han pertenecido a las grandes familias de Castilla, y con ello hemos agrandado el señorío... E mis señoras nietas llevaron grande dote a sus matrimonios e muchos regalos de duques y condes, y cuarenta carros de ajuar de oro y plata y ricas telas, e lo más importante, señora mía, nuestro escudo de armas…

—Yo…

—Previsto estaba labrar en la fachada de vuestra casa nuestras armas, cuando no hay mayor honor en tierra cristiana… E yo tenía para mí que mis señoras nietas casaban con caballeros… Asumí que no fueran títulos, que no fueran mayorazgos, por la disminución física que padecen, pese a que no les impide manejarse en el mundo a la perfección… Pero no os las di de barato, señora: os di, di a vuestros hijos, dos Téllez, las dos marquesas de Alta Iglesia, uno de los títulos más antiguos de Castilla… Que de la misma época los Cabeza de Vaca y anteriores, ninguno, pues hasta los condes de Haro son otra familia… ¡Dos Téllez de Fonseca, señora!

E sin dejar de llamarla «señora», doña Gracia continuaba:

—¡Estas desdichas las vamos a arreglar vos y yo, si os avenís, pues creo que no son de pregonar! ¡Qué formas, qué maneras las de vuestro hijo Andrés! ¡Qué lástima lo de vuestro hijo Martín!

—Estoy avergonzada, señora marquesa; me avendré a lo que dispongáis… A Andrés no lo eduqué así… Si miento que me caiga muerta ahora mismo… Lo de Martín fue una desgracia que sin duda podrá reparar…

—Me ha venido a oídos —siguió la dama en su batalla, tan embalada estaba que al demonio le hubiera costado trabajo detenerla— que corre por Ávila que la manquedad de mis nietas se atribuye al diablo… Mejor será que si ese rumor proviene de vuestra casa, de alguna de vuestras hijas, que tengo para mí son asaz parloteras, lo acalléis de inmediato, pues de otro modo lo pondré en conocimiento del señor obispo… Os hago saber que no caerá en saco roto debido a que mis señoras nietas fueron bautizadas en la santa iglesia de San Juan por su antecesor, el preclaro varón don Alonso Tostado de Madrigal, descanse en paz…

–Señora marquesa, vuestras palabras serán órdenes para mí…

–¡No quiero que hagáis nada de más, señora mía!

–Decidme vos… Mis hijos están muy arrepentidos de su proceder…

–No deseo arrepentimientos ni avenimientos… Mis señoras nietas no volverán a vuestra casa… ¡Los matrimonios terminaron el día en que la abandonaron!

–A vuestros pies, marquesa.

–Ante notario declararemos matrimonios no consumados. Leonor y Andrés mentirán. Lo resolveremos todo en una semana, que llevamos demasiado tiempo en esta guisa… Vuestros hijos tendrán que venir a firmar…

–Dos semanas, señora; Andrés está enfermo en Segovia, con su hermano, el señor obispo.

–Dos semanas… E antes quiero que esté aquí el ajuar de mis señoras nietas. ¡Id con Dios, doña Elvira, hemos terminado!

La viuda quiso besar los pies a doña Gracia, pero ella lo evitó. No obstante, al despedirla, como si fuera una igual, la abrazó para sellar el pacto.

Radiante quedóse la anciana, radiante. Tan alborozada o más que el día en que se casó con don Beppo, el Señor le haya dado vida eterna, por eso se apresuró a enviar a una criada con una buena bolsa de dineros a la iglesia de San Juan para que los pobres de la parroquia compartieran su alegría, y a Catalina le mandó hacer mejor comida.

En razón de que le parecía mentira haber resuelto los casos de sus bisnietas sin necesidad de abogado y, lo mejor, sin pleitos que hubieran hecho públicos aquellos tristes asuntos, a más de la misma manera siendo dos negocios diferentes, y tan fácilmente además. Porque en sus diez días de cavilaciones había pensado en accidentes, deseándole la muerte a Andrés, el más peligroso de todos, en desgracias para la viuda e sus tres hijas, y hasta en calamidades colectivas y, lo que son las cosas, aun siendo mujer piadosa, se le hubiera dado un ardite, Dios la perdo-

150

ne, que la peste se hubiera llevado a media ciudad, a media Castilla, eso sí, con todos los Torralba incluidos.

Y andaba pagada de sí misma, pues que ya en su juventud con su saber estar y elocuencia había sabido hacerse un hueco entre las orgullosas damas italianas, que llegaron a considerarla una de ellas. En breve, que estaba como unas pascuas, pues no había perdido aptitudes y había domeñado a una rica burguesa, pese a sus muchos años, cuando los burgueses andaban por el mundo orgullosos de sí mismos y talmente como si fueran duques.

Sí, pero un hecho oscurecía su triunfo: que Leonor hubiera de declarar en falso delante del notario que su matrimonio no había sido consumado, pero se descargaba la mala conciencia diciéndose que declarar ante un notario no es lo mismo que jurar, que la tal mentira no hacía mal a nadie y que por decirla su bisnieta no sufriría la condenación eterna.

Cuando la dama comunicó a sus descendientes que había llegado a acuerdo con la viuda Torralba, Leonor y Juana, las que debían estar más interesadas en la presta resolución de sus asuntos, siquiera mostraron un atisbo de regocijo, como si no fuera con ellas, y como doña Gracia mostrara enojo, le respondieron una detrás de otra palabra a palabra:

–Abuela, lo que hagas bien estará… Me da una higa… Desde el día de las bodas, no he hablado con mi esposo ni cinco minutos; sólo crucé con él una palabra: el sí que le di ante el altar en malahora… No me hables de él, pardiez…

E la señora, tras reprocharles a una y a otra que dijeran «higa» y «pardiez», pues una dama evita en toda ocasión palabras ordinarias, una vez más se asombró de que sus bisnietas respondieran por separado lo mismo las dos, sílaba a sílaba, y las dejó estar porque lo que le dijeron era la verdad palmaria.

Después de consultar al licenciado Alfar, que le aseguró que un protocolo notarial no anula matrimonio, sino que había que presentar demanda de nulidad ante el juez eclesiástico si quería hacer bien las cosas, siguió con sus planes, a ratos orando en la capilleta con Juana para que nada se torciera, para que llegara el día señalado... En ésas estaba cuando zurció el demonio, y su bisnieta le dijo la antevíspera de firmar que, después de pensarlo mucho, no iba a separarse de Martín, tal le expresó:

—Lo que me ha sucedido con mi marido se puede reparar...

Tal dijo, pese a que había estado eligiendo convento para profesar en religión, dudando entre las Huelgas de Burgos y las Clarisas de Tordesillas, ambos de damas con prebendas y, como era mujer empecinada, no hubo modo ni manera de hacerla rectificar. Lo único que consiguió doña Gracia de ella tras mucho insistir fue que si llevaba en mente propiciar otro ayuntamiento con su marido, lo hiciera después de que el notario levantara el acta de Leonor.

María, la bruja de la calle de las Losillas, andaba alborozada porque, colocado el muñeco que representaba a Martín Gil de Torralba en un cerco junto al de su esposa en un campo baldío, sobre un paño bermejo, unidos los dos por un cordel bermejo también, decía mil loores de Juana y al hombre se le enderezaba el miembro viril:

—¡Martín, escúchame! Juana, tu mujer, es amable, bondadosa, obsequiosa, caritativa, efusiva, expansiva, buena cristiana, buena esposa, y tengo para mí que será muy buena madre...

Y no tenía duda ninguna de que sucedía tal, lejos que estuviera Martín. A más, que catando en agua clara lo veía practicando fornicio adulterino en una habitación sin definir con una moza, bien definida ciertamente y la mar de garrida, no menuda como Juana, o manchando las sábanas de la cama cuando estaba solo en el lecho. Y, claro, andaba albriciada, pues se hallaba en vías de cumplir la manda de la Torralba al completo, en razón de que ya había conseguido la mitad, eso sí misteriosamente y antes de hacer nada, cuando Andrés desfloró a Leonor y, de consecuente, a punto estaba de recibir la tercera bolsa que había ajustado con la viuda, con la cual se juntaría con un capital.

Andaba albriciada porque había hecho por la celebración de las bodas de las marquesas posiblemente más que nadie en este mundo y porque tenía para sí que sus magias estaban dando resultados. Cierto que se estaba trastornando, pues que vivía los días y las noches para ellas, sólo deteniéndose para preguntarse cómo un miembro viril podía tener tanta importancia…

Y una noche, pasadas las diez, estaba practicando sus encantos con el saquito del niño malparido, loando las virtudes de Juana, animando a Martín, alzando los brazos al cielo, en su casa, pues que andaba con fuerte resfriado, cuando llamaron a la aldaba.

Era un soldado de la Hermandad de Ávila que le llevaba recado de Mingo y le decía, un tantico aturullado, que no podía ser de otro modo, dada la noticia que salía de su boca, que el sargento Mingo Pérez se había casado con una moza, con una labradora rica de una aldea cercana. A María, aunque lo había rechazado mil veces, las más de malos modos, aquella noticia inesperada le dolió en lo más íntimo de su corazón. Tras ofrecerle un vaso de vino al hombre, lo despidió prometiéndole leerle las manos de balde en otra ocasión y, contrariada, tornó a la magia.

Pero antes de que sonaran las once en el reloj de Santo Domingo, volvieron a llamar. Era la Petra Aldana, la tabernera, que entró en su casa como una tromba, llorando además, gritando desesperada que había sorprendido a su marido yaciendo con otra, alborotando a la vecindad, cuando no eran horas, y vaya que le dio silla en el zaguán, lo más lejos posible de la chimenea donde tenía los muñecos de los esposos Torralba Téllez, no fuera a verlos. Empleó muchas horas María en serenar el ánimo de la mujer, y hubo de dedicarle abundantes palabras y darle varios cocimientos. Con lo que tuvo que encender el fuego y esconder los muñecos.

E fue capaz, pese a que le venían nervios cada vez más fuertes por lo que ya llamaba la traición de Mingo, pues se le iba el pensamiento a él, de aplacar la ira de la tabernera, que había venido a pedirle que echara mal de ojo a su marido y a la mujer placera sin dilación, tras hacerle beber cinco tisanas de melisa bien cargadas, y tomarse ella otras tantas. El caso es que al alba la Petra, atemperada la cólera que había traído, se dormía en la silla e María tuvo que dejarle la mitad de su cama.

Sólo entonces pudo dedicarse a su pena, a pensar en Mingo. Que sería feliz con su esposa, seguramente una moza de catorce o quince años, un poquico entrada en carnes como son las labradoras, temerosa de Dios y buena cristiana, agraciada de rostro, alegre de temperamento, y dispuesta a tener muchos hijos. Y se representaba a Mingo recorriendo los anchos campos de Castilla, muy erguido en el caballo que le regalara, mandando un piquete de soldados de la Hermandad de Ávila, apresando ladrones, ahorcándolos en los árboles a la vera del camino en nombre de los señores reyes de Castilla, haciendo justicia, en fin, con mucho celo, con el mucho entusiasmo que ponía en todas las cosas que hacía, y con el mismo brío o más yaciendo con su esposa en su casa de labranza. Y, claro, le venía tristeza al corazón, porque además, entre pensamiento y pensamiento se acordaba de *Mot*, y no podía reprimir sus lágrimas ni casi respirar por la congestión de nariz que llevaba, pues andaba resfriada. Pasadas las doce del mediodía, Petra aún lloraba en el lado derecho de la cama y María en el izquierdo, y cuando la tabernera le preguntó qué le sucedía, ella mintió y le contestó:

—Me da mucha pena lo tuyo, Petra.

—¡Échale mal de ojo a Francisco y me iré riendo, María, pardiez!

—Aojaré al señor Francisco cuando me lo pidas con sosiego, dentro de unos días, si estás por ello; de otro modo te arrepentirás, que no es negocio baladí... Debes sopesar si le perdonas o no... Ten en cuenta que casi todas las mujeres perdonan los cuernos que les ponen sus maridos...

—¡No le perdonaré jamás! ¡Estaba con una mujer placera en mi cama!

—Piénsalo bien; yo en el entretanto no haré nada contra Francisco...

Aquel día Petra no abrió su taberna.

María tampoco abrió la puerta de su casa para que entrara su parroquia, y eso que llamaron varias gentes a su puerta. Siquiera se asomó a la ventana y eso que se congregó gente en la calle de las Losillas, la que asistía al entierro de una vieja.

A la atardecida la ensalmera, casi sin pensar ya en Mingo, sin tildarlo de impaciente, lo que hubiera sido completamente falso pues llevaba diez años pretendiéndola, sin tacharse de indecisa, sin pensar en que las brujas paren diablos, pues que no podía por la mucha fiebre que le producía el resfriado, se metió en la cama y no oyó que Perico, su otro pretendiente, la llamaba con insistencia. Tampoco oyó a los vecinos de la calle que requerían sus servicios, porque enterrada una anciana, a poco falleció una joven, y les vino miedo y quisieron consultar a la ensalmera, pues no se creyeron lo que aseguraban médicos y enfermeros del hospital de Santa Escolástica, que las muertes de las dos mujeres eran naturales e inevitables, dada la mucha vejez de una de las finadas y de la enfermedad incurable que había padecido la otra.

15

Doña Isabel hubiera deseado cuidarse en su tercer embarazo y dormir ocho horas diarias a más de siesta, pero lo único que pudo hacer fue bajar con tiento las escaleras del Alcázar de Sevilla, siempre del brazo de sus damas. No montar caballo ni mula y hacerse llevar en andas a las iglesias y, de consecuente, no dar un paso de más ni más largo, pero descansar apenas descansó, pues que no la dejaban estar. Eso sí, durante la fetación comió por dos para que lo que crecía en su vientre, quiera Dios que fuera varón, naciera hermoso y sano, e tanto preocuparse por el niño gozó de peor salud que en sus anteriores empreñamientos.

Los días se le hacían cortos para recibir a tanta gente que le iba, ricos y pobres, todos a desearle buen parto, y los viernes repartía justicia pública en un sitial situado en el patio del Alcázar a quien se la pedía, dejando los casos dudosos para que los resolvieran sus secretarios. Pero no todo eran felicidades, pues el señor rey hacía la guerra contra los sublevados andaluces y extremeños y no paraba en casa y, si hablaba de pedir las parias al rey moro de Granada que hacía años que no se cobraban pues el sarraceno se había aprovechado del desgobierno de los tiempos del rey Enrique, era por carta.

Ella pasaba su tiempo atendiendo al legado del Papa, escuchando las quejas del obispo de Cádiz, que le pedía perdón general para los señores de la zona, levantiscos de lo más, y oyendo gritar al pueblo contra los judíos. Hubiera querido regodearse con lo suyo, no teniendo que mediar entre el duque de Medinasidonia y el marqués de Cádiz por el oeste, o entre el conde de Cabra y el señor de Aguilar por el este. O verse engordar a gusto. O leer o hacerse leer, o jugar al ajedrez. O bordar las ropitas del niño por nacer... Pero en cuanto doña Clara la veía con una aguja en la mano, se apresuraba a quitársela no le fuera a venir arrebato como a su señora madre, que continuaba residiendo en el castillo de Arévalo con sus paños y sus damas, y le llevaba papel y tintero para que le escribiera. O la acuciaba con otras cosas, como que debía despachar con sus secretarios otra vez, cuando ya lo había hecho por la mañana temprano, porque había postergado enviar dineros a los hijos de la fallecida reina Juana, la madre de la Beltraneja y tres más, que no tenían qué ponerse. O que tenía que enviar recado a tal convento para que rezaran misas por su feliz alumbramiento, pues se había olvidado de él y andaban las monjas dolidas con ella. O le enseñaba los dibujos preliminares que había hecho un tal Gil de Siloe para la tumba de su padre el rey don Juan, que deseaba ubicar en la cartuja de Miraflores, cercana a Burgos.

E así los días transcurrían con pasmosa celeridad para la reina, aromados con el olor a flores de los jardines del Alcázar, avanzado el embarazo, sin ayunar en Cuaresma y sólo guardando abstinencia el Viernes Santo, tras recibir a clérigos, a nobles y a los veinticuatro de Sevilla, que le felicitaron la pascua de Resurrección de aquel año, pero sucedió un hecho nimio que vino a perturbar su paz. Fue que don Gómez Manrique, el autor de farsas y hermano del fallecido maestre de Santiago don Rodrigo, el Señor le haya dado descanso eterno, cerrado el postigo se presentó con un regalo para la reina, vive Dios, un libro, que no contenía precisamente recomendaciones para

157

el buen gobierno del reino ni para la educación de su hija, sino poesía.

La soberana, después de una jornada muy ajetreada, se había despojado ya de las sayas y enaguas y, en camisa de dormir se aliviaba la hinchazón de pies en una aljofaina con agua templada y sales, tal le dijo don Gonzalo Chacón al noble, y que la señora no podía recibirlo, que esperase a mañana. Pero el Manrique, que era hombre empecinado, porfió con el mayordomo, asegurándole que traía a la señora el mejor regalo que la gente de su casa podía hacerle en aquel momento y posiblemente en los siglos venideros.

E mandaba Chacón recados a doña Clara, e doña Clara despedía a los pajes, pues no era hora de incomodar a su alteza. Y fueron y tornaron varios donceles con recados y respuestas, y cundió aquello del libro y suscitó intriga entre las damas, y a la reina también le picó la curiosidad. El caso es que la soberana recibió al Manrique. Que, tras arrodillarse ante ella, desearle parabienes y besarle la mano, le entregó el primer ejemplar copiado de *Las coplas a la muerte del maestre don Rodrigo Manrique*, escritas por su desaparecido sobrino don Jorge, fatalmente muerto en el asalto a un castillo pocos meses antes, el Señor haya tenido misericordia de él.

Y, vive Dios, que el gesto de aquel hombre, de aquel Gómez, que era literato y le llevaba el libro de un sobrino que había sido literato también, a hora intempestiva y como si fuera oro, demostrando la generosidad del dicho, cuando los cronistas oficiales no perdían ocasión de zaherirse y de increparse por cualquier necedad, le hizo creer en la bondad del género humano y no dudó en recibirlo. A más, que el libro de versos de extraña rima alteró el ritmo de su corazón ya fuera porque hablaba de su propia familia, del rey don Juan, su padre, de su hermano Alfonso y del rey Enrique, ya fuera por la tristeza que contenía o porque hablaba de la vanidad de la vida, y ella que tanto empeño ponía en todo lo que hacía: ¿para qué?

Cierto que doña Clara y las damas le rogaron reiteradamente que no se apesarara y lo dejara, pues no estaba en el mejor momento para leer amarguras, pero ella se lo aprendió de memoria y hasta lo mandó copiar para su marido el rey. Además, que recitaba:

> Ved de cuán poco valor
> son las cosas tras que andamos
> y corremos,
> que, en este mundo traidor,
> aun primero que muramos
> las perdemos.

O lo que decía el poeta de su familia:

> ¿Qué se fizo el rey don Juan?
> Los infantes de Aragón
> ¿qué se ficieron?
> ¿Qué fue de tanto galán?

O:

> Pues su hermano, el inocente,
> que en su vida sucesor
> lo ficieron
> ¡qué corte tan excelente
> tuvo, e cuánto grande señor
> le siguió!

Las damas, aunque se asombraban con ella de la belleza de aquellas estrofas, querían distraerla a toda costa, pero doña Isabel les respondía que se dejaran de melindres:

—Sé bien, señoras, lo que he de hacer, y no he de caer en tristezas… Lo que me conmueve es que el capitán haya mencionado a mi padre y a mi hermano Alfonso…

159

Y sus camareras asentían porque, en efecto, para llorar era y porque la gran dama no sólo sabía bien lo que había de hacer, sino muy bien, y lo que se decía cada una para sí:

—Tiene razón: nadie hubiera dado una higa por ella cuando nació y, mira, es la reina más poderosa del mundo y quizá la única; no entiendo cómo el capitán don Jorge no la ha mentado en su obra, pues méritos tiene más que suficientes para estar en ella.

A los quince días de las hablas de doña Gracia Téllez con doña Elvira, viuda de Pedro Gil de Torralba, las dos familias se juntaron en el gran salón del palacio de la calle de los Caballeros. De una parte, las tres Téllez. De otra, todos los moradores de la casa de la plaza de la Fruta, a más de Juan, el obispo de Segovia, y Pedro que era contador del rey, que habían venido ex profeso.

El notario, puesto al corriente de que sólo levantaría un acta y no dos, dejó la escribanía en una mesa que le había asignado doña Gracia, tomó asiento, sacó un pliego de papel de oficio e llamó:

—Doña Leonor Téllez de Fonseca, excelentísima marquesa de Alta Iglesia… Don Andrés Gil de Torralba, caballero…

Los dos se sentaron en dos sillas que había dispuestas ante la mesa del fedatario, que le preguntó a Leonor:

—Doña Leonor Téllez de Fonseca, señora marquesa de Alta Iglesia, ¿contrajo vuesa merced matrimonio por palabras legítimas de presente con don Andrés Gil de Torralba, caballero, aquí presente, el pasado 8 de mayo en la santa iglesia de San Juan de esta ciudad?

—¡Sí!

—¿Es verdad que hubo muchas gentes que lo podrían atestiguar?

—¡Sí, es verdad!

—¿Es verdad que pronunció su señoría las palabras propias de los esponsales… «Yo, Leonor, tomo a vos, Andrés, por esposo», el 8 de mayo próximo pasado en la dicha iglesia?

—¡Sí, es verdad!

—¿Qué declaráis ante mí, Antón de Inés, notario de la ciudad de Ávila?

—Que no habiendo sido consumado mi matrimonio, vos, Antón de Inés, levantéis acta de lo que expreso por mi propia boca…

—¡Sea, queda oído y escrito!

Y el notario preguntó lo mismo a Andrés, que respondió otro tanto con voz un tantico cortada ciertamente. Se levantó acta y todos los presentes firmaron como testigos, y él dio fe con su firma de aquel acto por los siglos de los siglos.

Acabado el protocolo, doña Gracia no invitó a los Torralba ni a un vaso de vino. Los largó con parabienes, sin más, e quedóse contenta de que su bisnieta hubiera respondido a las preguntas del notario con la cabeza alta, mientras el marido lo había hecho con la cabeza gacha, lo lógico a la vista de los sucesos. Más alegre hubiera podido estar de haber resuelto también lo de Juana y Martín, que hasta aquel momento había considerado problema menor comparado con el Leonor, pero que a partir de ese momento se convertía en problema mayor, si no véase la vida arrastrada que tuvo el rey Enrique, el cuarto, por otro tanto, por ser impotente. Radiante podía haber estado porque la viuda había devuelto el ajuar de sus bisnietas y, dejándose de predicciones, se dispuso a remitirle el acta al obispo de Ávila para que procediera canónicamente a la anulación del matrimonio de Leonor y Andrés, pese a que el licenciado Alfar le había informado que ése no era el procedimiento y que los cónyuges deberían personarse ante el juez eclesiástico.

Acabados los formalismos, Leonor volvió con Wafa al jardín a leer y releer el pergamino de la arqueta, cada día que pasaba más convencida de que no era el cofre del rey moro. Juana, pese a que no invalidó su matrimonio, cuando hubiera podido hacerlo con más derecho que su hermana, no hizo nada porque Martín se le acercara o por acercarse a Martín, al menos nadie vio nada y al quedar vacío el comedor hizo lo que venía haciendo de un mes acá: arrodillarse ante el altarcillo de la capilleta y orar.

Cerrados los casos, las viejas criadas respiraron hondo, por fin, porque a ninguna de las tres les habían gustado miaja los maridos, y mucho menos el de Leonor. Las sirvientas nuevas de la casa anduvieron revoloteando, tratando de saber qué sucedía, qué ocultaban sus señoras, haciendo cábalas mil. Lo supieron cuando doña Gracia se lo dijo, considerando oportuno contarles, que obligación no tenía, que sus bisnietas se habían casado con dos hombres impotentes, mismamente como el rey Enrique, que haya gloria, y que, tras dos meses sin consumar los matrimonios, habían pedido la anulación de los mismos, pues de otro modo ni Leonor ni Juana tendrían hijos y se perdería el marquesado. Y aquellas criadas lenguaraces, que no habían estado presentes en el levantamiento del acta y no se enteraron si había firmado una de las marquesas o las dos, debieron aprobar la medida, pues el hecho no corrió por la ciudad. Por alguna causa desconocida o porque coincidió que se conoció a la par que la reina doña Isabel estaba otra vez grávida, se habló poco de las mancas, aunque bien hubiera podido comentarse hasta la saciedad de ambos acontecimientos, de la preñez de la reina y de la separación de la marquesa, o de las maniobras que la bisabuela se traía con el obispo, el joven abogado Alfar y con un notario.

El caso es que llegó el sosiego a la casa de la calle de los Caballeros. Que las esclavas moras sacaron el equipaje de sus señoras de los baúles y lo metieron en los grandes arcones, que guardaron los regalos de bodas que no eran de oro ni plata y lo bueno lo dejaron expuesto en el gran comedor al lado de lo de doña Leonor de Fonseca y otras antepasadas.

Y, sí, sí, muy bien… Doña Gracia descansando el pensamiento. Leonor con su pergamino. Juana con sus oraciones. Catalina en la cocina. Wafa asegurando a Leonor que el contenido del escrito era la primera aleya de el Corán, y Marian, arrodillada detrás de Juana, mirando el altarcillo y la tabla, lo pintado en ella: un castillo y una tropa de jinetes, muy lejanos, y más cerca un Calvario con el Señor Jesucristo clavado en la cruz, y Santa María Virgen y San Juan al pie de la misma, ambos llorando e alzando la mano como si quisieran quedarse con el alma del Señor. A ratos la esclava a punto de rezar un avemaría, y eso que era mora, e moviendo las manos para quitarse de la cabeza orar al Dios cristiano.

Y todo bien, muy bien, pero el día en que el concejo de Ávila recibió cartas del señor rey anunciando la preñez de la señora reina, su esposa, en la casa de la calle de los Caballeros no hubo alegrías. No porque las habitadoras no fueran personas generosas y muy capaces de holgarse con el bien ajeno, no. Si no se felicitaron de la suerte de doña Isabel fue porque las dos gemelas se presentaron ante la bisabuela con ciertas noticias.

Leonor con que estaba segura de que esperaba un hijo, pues había cumplido dos faltas, y Juana con que decididamente se entraba en las Clarisas de Tordesillas.

Y lo que musitó doña Gracia:

—*Porca vita!*

María, habiendo escondido los muñecos de Juana y Martín en el hueco de la chimenea, pasó una semana postrada en la cama muy enferma con mucha fiebre, congestión de pecho y fuerte tos, remediándose con un cocimiento muy espeso de flores de reina de los prados, pétalos de amapola, una brizna de raíz seca de diente de león, hojas de cola de caballo y un chorro de jalea real. Levantándose a ratos para poner todo a hervir cada cuatro horas y para calentar en la chimenea unas piedras que, envueltas en tela, se metía en la cama para procurarse calor; para decirle a una vecina que estaba enferma, para comunicarle otro tanto a Perico, que no la dejaba estar con sus pretensiones, pues mientras estuvo convaleciente llamó a su puerta todos los días entre la nueve y las diez de la noche queriendo que se fuera con él y, ay, para contemplar con sus ojos la muerte de un joven judío que tuvo lugar en la puerta de su casa.

A los diez días andaba ya bastante mejorada, tosiendo menos y con el pecho más descongestionado. A ratos con Mingo en la mente, a ratos con Perico, que la molestaba, pensando hacerle un hechizo y enviarlo lejos para siempre, a ratos con el aquelarre que se celebraba en la campa de Miravilla, a orillas del Nervión, la noche de San Juan, precisamente aquella noche. La mayor fiesta de brujos y brujas de la comarca, pues que se juntaban a lo menos doscientas ollas y un buen montón de ellas venían de la Francia.

E recordaba cómo, tras abonar la entrada y meterse en el cercado, se saludaban las gentes con calor, brujos y brujas que habían venido volando encarnadas en aves o en mula o a su paso, que había de todo, y comenzaban a formar corrillos, a platicar y a jactarse de las proezas que habían hecho durante el año. Una aseguraba que había quitado la tormenta en Oñate, otra que había calmado la galerna en Lequeitio, y otra más que había juntado merluzas en el cabo de Machichaco para que las recogieran los pescadores de Bermeo. Si una decía haber hundido un barco en el puerto de Pasajes, otra declaraba haber viajado a Jerusalén en una noche y vuelto a casa, y algunas incluso comentaban haber visto y hablado con la Dama de Amboto en las cuevas de Aralar… Las más mintiendo descaradamente, pues que las brujas son personas mendaces y exageradas por su natura…

Recordaba María a los niños que guardaban las jaulas de los sapos… Ah, y el momento de abrir las jaulas y el jaleo que se organizaba, pues que, tras apalear a los bichos, todas las brujas se precipitaban en busca de los menudos para hacer con ellos untura mágica y frotarse y de ese modo disfrutar con los sueños que producía el ungüento, sueños o realidades, pues unas sortiñas aseguraban una cosa, y otras otra... E cuando llegaba la reina del aquelarre, vestida con rico traje de oro y perlas, y otrosí el rey, tocado con unos cuernos de vaca e con el rostro tiznado de negro... E cómo lo adoraban las gentes, e... e... e...

E, vaya, que había barahúnda en la calle de las Losillas... Que a la puerta de la casa de María se oían voces e debía de haber gente que luchaba pues se oía blandir espada. Y se acercó la ensalmera a la ventana e abriendo un poco el postigo no vio nada, pues había mucha oscuridad, pero oyó cómo varios espadachines cruzaban golpes e insultos y, a poco, como los vecinos salieron con faroles, pudo observar que tres hombres iban cercando a otro, que estaba en absoluta inferioridad de condiciones e de no llegar la justicia presto, el sujeto, quien fuere, moriría en un momento, pues que sus enemigos lo acosaban con saña. Y ya estaba el tipo acorralado, precisamente en la puerta de la casa de María, cuando escuchó un golpe sordo y comprendió qué había sucedido: que los tres espadachines habían clavado a su adversario, rival o competidor, lo que fuere, precisamente en su puerta. Y sí, sí, tal era, pues sacó la cabeza por la ventana y lo vio. Gritó, claro, y resultó que su alarido se oyó en toda la calle, e salieron más gentes a las ventanas. Los espadachines se quedaron pasmados e, como se hizo silencio, se escuchó el último estertor del hombre que, vive Dios, se encomendó al Señor Yavé, el Dios de los judíos.

Hubo entonces mucha bulla. Porque los homicidas comenzaron a insultar el cadáver del judío, que decían llamarse Simuel y era joven, el hijo mayor del cantor de la aljama de la ciudad, un dicho don Solomon. A llamarlo judío, puerco, marrano y otras lindezas, es decir, lo que era y lo que no era, y los vecinos se sumaron a los insultos y, es más, empezaron a patalear también al muerto con saña, como si a ellos también les

165

hubiera hecho algo malo el mozo. E no pararon hasta que se desplomó el cadáver al suelo, que había quedado clavado en la puerta de la casa de María, como es dicho, y si terminaron no fue por ellos, que hubieran seguido pegando, sino porque una mujer pidió caridad a gritos, e se acabó aquello. Lo de los golpes, pues que continuaron con las hablas.

Los homicidas explicaron a todos los que quisieron oír, que fueron muchos, que encontrándose al tal Simuel en la plaza de la Fuente del Sol, lo invitaron a cenar a la posada de la Estrella, cuya trasera daba a la tapia de las marquesas de Alta Iglesia —ya sabían todos los oyentes dónde estaba la posada, pero los espadachines relataban todas las menudencias del suceso—, porque era la noche de San Juan y por divertirse un poco, para hacerle broma. E, sentados en la mesa, le pidieron a la posadera puerco, un buen guiso de cerdo con abundante salsica e mucho pan e mucho vino… E, vaya, que el mozo, que ya venía con el corazón encogido y temblón de piernas, cuando ellos no pretendían hacerle daño, no quiso comer puerco, tan delicioso que lo hacía la guisandera… E para no malemplear el plato, pues que lo habían de pagar, los tres bromistas le quisieron dar a la boca, pero, vaya, que era el chico impetuoso y les escupió a la cara poniéndolos perdidos… E salió por piernas y ellos tras él, como no podía ser de otro modo… E yendo, uno por la trasera de San Juan, otro por Caballeros y otro por la ronda, lo habían conseguido cercar allí, en la calle de las Losillas y, como el judío desenvainó la espada, ellos también lo hicieron y, claro, lucharon.

Terminaron los jóvenes asegurando que el judío había sido necio por enfrentarse a tres hombres, por no comer el puerco y no arrepentirse de ser judío, pues de haber mentado a Dios o a alguno de los Santos de la Corte Celestial, ellos le hubieran perdonado que no comiera, pues no llevaban intención de hacerle daño si no de chancear en la noche de San Juan. E se largaron.

Los vecinos de la calle de las Losillas y aledañas estuvieron hasta el alba comentando el suceso, mostrándose de acuerdo con los homicidas, que sólo habían querido embromar, echando pestes contra los hebreos y conversos. Se esperaron hasta que llegó el rabino de la sinagoga de Moçon, ayudado de otra gente, a llevarse el cadáver, para insultarlo:

—¡Puerco judío!

María, que había presenciado todo desde su ventana, tornó a la cama con mala gana y el estómago descompuesto, sin mirar siquiera los dos escorchones que le habían quedado en la puerta, recién barnizada que estaba.

16

El 30 de junio, entre las diez y las once, antes de que azotara
la calor en la ciudad de Sevilla, doña Isabel, reina de Castilla,
de León, etcétera, en un aposento lleno de candelas, reliquias e
imágenes de santos, alumbró un hijo varón que recibió al ser
bautizado el nombre de Juan. Lo hizo delante de tres oficiales
de la ciudad y un escribano, siendo asistida por una partera llamada la Herrera, que fue registrada por si escondía algo entre las
sayas; también en presencia de varias de sus damas, entre ellas
doña Clara que, como en la ocasión del nacimiento de la infanta Isabel, le tapó a la soberana la cara con un paño para que
no viera lo que veían todos los presentes, que eran multitud,
y además esta vez le mojó el vientre bien mojado con agua
bendita.

—¡Es un niño! —exclamó albriciada la dicha Herrera.

Y sus palabras corrieron llevando felicidades por el Alcázar
y por la población y sus arrabales, donde doblaron alegres las
campanas de iglesias y monasterios, donde los frailes y las monjas, conocedores del feliz nacimiento, dejaron de rezar después
de meses.

Doña Isabel se holgó a la voz de la comadrona, don Fernando también al aviso de Gonzalo Chacón. La madre se con-

tentó de primeras pero, cuando limpio el niño y limpia ella de las malas sangres y los humores, lo tomó en sus brazos y vio que era menudo, no pudo evitar hacer un mohín de desagrado, y comentó luego con doña Clara, que no con las otras damas pues no era cosa de echar a los vientos, que la criatura era enclenque mismamente como su hermano Alfonso, que vivió poco. La mayordoma hubo de recordarle que el recién nacido se había adelantado cuatro semanas e no podía ser grueso, y decirle que lo criarían con buena leche e buena vianda e crecería sano con ayuda de Dios, que ya se encargarían ellas de tirar del manto del Todopoderoso pidiéndole salud para el niño. La parturienta no se durmió, pese a que hubiera sido lo natural después de tanta fatiga, quizá porque se había movido poco a lo largo de su embarazo, no fuera a malograr el fruto de sus entrañas. Siquiera cerró los ojos un instante y ella misma, después de retirados los plumazos del parto, cambiada la ropa de cama y aromada la habitación, eligió entre varias el ama de cría del futuro príncipe de Asturias. A una dicha doña María de Guzmán, una mujerona de grandes pechos que, casada con un caballero, había perdido al hijo que alumbrara.

En Sevilla hubo grandes alegrías durante tres días. El 9 de julio, el pequeño Juan fue bautizado en la iglesia de Santa María la Mayor, toda muy adornada de flores y paños de raso, por el arzobispo de aquella diócesis y cardenal de España don Pedro González de Mendoza, con padrinos y madrina de alcurnia.

El niño fue llevado en procesión a la iglesia, acompañado por todos los estandartes de las cofradías de la ciudad, con asonada de trompas y chirimías. Lo traía en brazos su ama, la dicha doña María, muy triunfante y bajo palio, llevado por varios regidores, todos vestidos con magníficas ropas de fustán negro que les dio el concejo. El plato con la candela lo llevaba en la cabeza un pajecillo, sosteniéndolo un grande, e dos donceles portaban la ofrenda, un jarro y una copa dorada, muy buenos. E detrás del ama seguían cuantos nobles había en la Corte y muchas gentes y caballeros. La madrina, que era la duquesa de Medinasidonia, montaba una mula blanca, cuya rienda llevaba el conde de Benavente, y la seguían nueve doncellas todas vestidas iguales de brocado con mucho aljófar grueso. Y claro, ante tanto boato, las gentes estallaban en vítores y deseaban larga vida al niño, muchos de ellos encomendándolo al Creador, pues que era menudo y se sabía, y otro tanto a sus señores padres.

E así las cosas, estaban en Sevilla los naturales y los foráneos muy albriciados, con la reina recuperada ya de su parto, con el niño que no hacía asco a la teta, pese a que era enclenque; con calor, con la calor propia de la canícula, con las esteras de las ventanas bajas, con los toldos cubriendo las calles, con los hombres mojándose en el río y las mujeres echándose agua a la cara en las fuentes…

Ninguno de los habitadores mirando el cielo, pues que sólo levantar la cabeza producía sofoco, cuando, ay, Dios, corrió el espanto por doquiera, pues hizo el sol un eclipse a la hora del mediodía del 29 de julio e todo se cubrió de negrura durante mucho rato, mucho más tiempo del que duraban por lo regular aquellos fenómenos… O acaso fuera que la abadesa de Santa Paula, que era anciana y se iba ya deste mundo, mandó tocar las campanas de su iglesia a rebato y que a los sones cundió el miedo como si llegara el Juicio Final. El caso es que las gentes corrieron alocadas. Unas camino de sus hogares, otras hacia los campos de los arrabales, otras a las iglesias, creídas de que se aproximaba el Último Día, que se cumplían los vaticinios de los predicadores y que el Señor llamaba a su presencia a los pecadores para pedirles cuentas, e se azotaban las gentes con sus cinturones y con lo que encontraban y se llenaban los cabellos de ceniza e rezaban… E aquel tiempo se hizo largo, largo, y en varios días no tornó el cielo de Sevilla a su claridad habitual.

En el Alcázar, sintióse el eclipse y sufrióse. Pues los agoreros, que eran muchos, primero sovoz y luego en voz alta, comenzaron a decir que el hecho de que se produjera el eclipse a los treinta días justos del nacimiento del príncipe Juan era señal de mal agüero y, aunque no se atrevían a expresarlo con claridad, recordaban:

—El nacimiento del infante se adelantó cuatro semanas.

Y en las escaleras las gentes santiguándose aventuraban:

—Quizá el príncipe, de no apresurarse tanto, hubiera nacido precisamente en este día…

—¡Oh, no!

—Hubiera sido un hijo de la oscuridad…

E no valía que algunos nobles y capellanes quitaran importancia al asunto, pues en las cocinas, en las cuadras, en las bodegas y en los puestos de guardia, las gentes de la servidumbre temblaban y los perros aullaban, y con razón, porque el sol no tornaba a su color, sino que emanaba niebla espesa.

Por supuesto, en las habitaciones de la reina también el miedo se trocó en espanto, y las damas se llegaron a las ventanas e, como el fenómeno dolía a los ojos, las cerraban presto e aconsejaban a doña Isabel que no mirase. Pero la reina miró, pues que era cosa de ver, e como duraba aquello, fuese en busca de su hijo que, casualmente, estaba mamando del pecho de doña María, el ama. E doña Clara le dijo al ama que dejara de darle la teta mientras durase el eclipse, no fuera a tomar la criatura leche agria y le viniera cólico, y doña Isabel asintió. Y el niño lloró pues que le quitaron la teta.

La reina tomó en brazos a su hijo e fuese con él a que lo bendijera fray Hernando de Talavera, su capellán, que lo hizo con gusto mientras el niño lloraba y lloraba, que desde que se lo quitaron al ama no había dejado de llorar como desesperado, y eso que no era un hambrón precisamente. Para que se callara hubo de tornárselo al ama, toda vez que fray Hernando dijera que el eclipse era un fenómeno natural de los astros y que a los astros y a las estrellas los mueve Dios, pero que había que andar con cuidado con él y no mirar, pues no en vano ya lo había

171

advertido el griego Platón, que en su obra titulada *Fedón* puso en boca de Sócrates la siguiente frase: «Que debía prevenirme de que no me ocurriera lo que les pasa a los que contemplan y examinan el sol durante un eclipse. En efecto, hay algunos que pierden la vista, si no contemplan la imagen del astro en agua o en algún otro objeto similar».

Tal citó textualmente el clérigo, que era hombre leído. Doña Isabel, como el príncipe lloraba en sus brazos y callaba en los del ama, un tantico desairada dejó al niño y atendió la lección de astronomía de su capellán, a la que se sumaron varios nobles, y contempló el sol reflejado en el agua contenida en un lebrillo, y se admiró como el resto de la concurrencia de las maravillas de Dios.

E, ya recuperada y pasada la cuarentena, volvió la reina a hacer justicia los viernes y a asistir a los consejos de su marido con los secretarios. En el primer consejo el rey propuso comprar los derechos para conquistar las islas Canarias a la familia andaluza que los tenía y no hacía uso de ellos, a más de enviar embajadores al rey moro de Granada Muley Hacén para demandarle las parias que sus antepasados habían abonado a los reyes de Castilla. Isabel se mostró de acuerdo; cierto que lo que no esperaba, y se sintió sorprendida como todos, fue la respuesta del sarraceno, que orgulloso dijo:

—Los que pagaban parias han muerto y los que las recibían también.

En esta guisa, don Fernando proclamó la guerra contra el reino de Granada desde Lorca hasta Tarifa y mandó hacer muchos pertrechos de artillería, aunque luego la demoró y firmó treguas por tres años para en el entretanto recuperar la hacienda real.

E muchos asuntos que resolver tenían los reyes, pero todas las noches antes de cenar hacían un hueco en sus labores y contemplaban a su hijo el príncipe Juan. Se reunían en el aposento del niño e lo veían mamar del pecho de doña María, le observaban el primer diente o cómo lo bañaba el ama o le cambiaba de pañal, o sencillamente cómo crecía, o lo contemplaban riendo, y padre y madre le hacían carantoñas. El rey mirando muy mucho quién había en la habitación, pues que era hombre, no fueran los maledicentes a decir tal y cual.

♛ ♛

Doña Gracia Téllez, en el momento en que se convenció del embarazo de su bisnieta, intentó en vano rememorar lo que había sentido en su cuerpo la única vez que se quedó preñada, por contrastarlo con lo que le decía Leonor. En vano, porque habían pasado como mil años. Por supuesto que se había acordado de doña Ana, su hija, y la había tenido presente en sus oraciones y preguntado por ella a la vieja Catalina, pero en la fetación y en el parto no había vuelto a pensar.

Se presentaba Leonor en su aposento, que no le había venido la «enfermedad» iba para seis meses, que tenía bermejura en los pechos y que orinaba continuamente, que el niño se movía en su vientre como una sierpe, que no podía con el peso de su cuerpo y, como no recordaba lo suyo, la mujer no le podía decir ni aconsejar. Ni podía llamar al médico, pues su bisnieta había anulado el matrimonio con Andrés por no haber consumado matrimonio y ya no tenía marido.

Fue Leonor la que dijo de ponerse en contacto con María de Abando para que la asistiera en el parto. La bisabuela dudó, pues que la anterior consulta que le hizo le había resultado muy cara. Un buen caballo pagó pero, por fin, lo hizo. Eso sí, despidiendo antes a los criados que había contratado cuando sus bisnietas estuvieron viviendo en la casa de la plaza de la Fruta, y para que se fueran contentos les dio el doble que a los italianos, quedándose sólo con las moras y la cocinera, que eran mujeres de fiar, y ya pudo llamar a la Niña del Cristo de la Luz.

María que, recuperada de su enfermedad, había vuelto a los ensalmos de Juana y Martín, se presentó rápidamente en la mansión de la calle de los Caballeros, como si la llamaran de una casa cualquiera, sin recordar que en presencia de las marquesas sufría un cierto ahogo que no sabía a qué achacar, pero esta vez no sintió nada, quizá porque estaba sólo con una de-llas. Y no se sorprendió con el embarazo de la marquesa, pues no en vano se había maliciado que algo ocultaba aquella familia, llegando a pensar incluso que las moradoras escondían un tesoro, pero no, no, qué sandia, habían estado tapando la pre-ñez de Leonor.

—Muy avanzado está el embarazo de doña Leonor; no obs-tante, puedo arreglarlo…

Y como a la interesada y a la bisabuela se les demudaba la color, se apresuró a detallar sus servicios:

—Si vuesas mercedes lo desean, yo puedo acabar con la cria-tura y recomponer el virgo a la señora…

—*Porca miseria!* —exclamó doña Gracia varias veces seguidas, quitándose los espejuelos de los ojos.

—¡No sé si deseo al niño, pero no pienso hacer nada ni por él ni contra él; lo he llevado mucho tiempo conmigo! —aseveró Leonor.

—Tened en cuenta, señora Leonor, que si hay que hacer es menester actuar presto, pues a lo menos estáis de cinco meses —informaba la ensalmera a la par que se encogía de hombros.

—De seis.

—¡Escucha, moza, lo que quiero es que asistas a mi nieta en el parto. ¿Estás capacitada para ello? ¿Lo has hecho alguna vez?

—¡Cientos, señora! —mintió descaradamente María, porque en su época de aprendizaje en el rabal bilbaíno había asistido a muchas curas, pero a un parto nunca.

—Bien.

La anciana continuó hablando con ella, preguntándole cuán-to dinero quería por sus servicios.

Leonor abandonó el comedor, llamó a Wafa y fuese a la huerta para contarle que ya tenía partera, demandándose si la tal María era mujer de confianza y capaz de mantener la boca cerrada con negocio tan malhadado. Tal se decía, pese a que la había propuesto ella, e iba muy corajuda por lo que le esperaba dentro de tres meses a no tardar, entre Santa Liberada y Santa Marta, que llevaba los días bien contados desde que abandonara de mala manera la casa Torralba.

—Que sea lo que Dios quiera, Wafa, con esta María... No sé qué haré si habla...

—Por un maravedí es capaz de vender su alma, tal dice Catalina...

—He ocultado mi preñez durante seis meses debajo desta saya. No quiero que se enteren los Torralba... Sería capaz de cortarme la mano que me queda si llegaran a saberlo...

—Ninguna persona desta ciudad sabrá que llevas un hijo; no tengas cuidado y no exageres, Leonor... No digas tal pues estás tentando a Alá, que tu mano te es tan necesaria como a mí las dos...

—No sé si he hecho bien al abandonar a Andrés...

—Has hecho lo más conveniente, recuerda que es una mala bestia...

—¡Ea, Wafa, amiga, dejemos este negocio, vayamos al tesoro!

—Por Alá, Leonor, ¿nunca vas a cansarte de buscarlo?

—No. ¡No tengo nada mejor que hacer y no he de darme mal por mi preñez, claro que no la puedo ignorar!

Hubiera podido distraerse Leonor de otro modo: jugando al ajedrez o a naipes con la bisabuela; yendo a los mercados a recorrer puestos; saliendo a la puerta del Grajal para ver cómo regresaban las ovejas merinas camino del sur hacia los pastos de invierno; cosiendo la canastilla del niño, tejiendo, leyendo, o mismamente con lo que sucedió en su casa más que terciado su embarazo, en los llamados meses mayores, de haber prestado atención.

175

Porque una noche, pasadas las once, llamó al portillo un caballero, sin criados ni escuderos, que resultó ser Martín Gil de Torralba, el marido de Juana, y pidió hablas con su esposa.

Enterada la marquesa por la cocinera, que a punto estuvo de negar la entrada al visitante, dejó de rezar y ordenó a la criada que abriera la puerta grande e fuese al zaguán a esperar a su marido. Y, desechada su intención de profesar en la Claras de Tordesillas, al parecer, tomó de la mano a su esposo, subió a su habitación con él y, sin requerir los servicios de Marian, que de un tiempo acá era como si fuera su aya, pues que Leonor acaparaba a Wafa a toda hora por lo del tesoro, echó la tranca.

La bisabuela, sabedora de lo acontecido, nada tuvo que decir ni que objetar, pues que entre esposos la prudencia dicta mantenerse al margen. Cierto que le sorprendió cómo se atrevía el dicho Martín a presentarse en casa de su mujer, pues que no había cruzado palabra con ella en la reunión que tuvieron las familias pero, ah, como sabía de amores, se adujo que tal vez los esposos se hubieran dicho con los ojos lo que tuvieren que decirse, y ya tras el primer estupor echó su imaginación a volar, creída de que la presencia de Martín respondería a una historia de amor.

Leonor se distraía buscando el cofre de los Téllez ciertamente, pero no pudo evitar sentir y sufrir que su embarazo prosperaba, pues llegó a engordarse más de veinticinco libras, a sofocarse por subir un piso de escaleras y a sentirse disgustada con su cuerpo. Ya sabía que beldad no era, pero tamaños cambios, la piel tensa y que, puesta de pie, no se veía la punta de los chapines, la pillaran desprevenida. A más, la acidez de estómago, los calores y el peso la hacían vivir desazonada y ansiosa. Y se quejaba:

—Tengo la cara como un pan y el vientre como un odre lleno.

Lo del tesoro no prosperaba, que ama y esclava se limitaban a adivinar las seis primeras líneas del pergamino, que estaba muy borrado, y a leer lo que decía Wafa que estaba escrito, pues Leonor no era capaz de leer ni que forzara la vista: «En el nombre de Dios, el Clemente, el Misericordioso. El honor a Dios, señor de los mundos. El Clemente, el Misericordioso. Soberano del Último Día. A Ti te adoramos y a Ti pedimos ayuda. Llévanos por el buen camino», lo que era una oración.

Le hubiera gustado hablar con Juana, con su hermana gemela, que siempre estuvo a su lado pero, vaya, ahora no, pues al fin se enteró de que andaba encerrada en su aposento con el marido, yaciendo o no yaciendo con él, vaya vuesa merced a saber, porque no salía ni para ir a misa, y el esposo tampoco. Y Marian, que había cambiado de ama, no podía dar noticia alguna de lo que sucedía en aquella habitación, puesto que la dama se hacía dejar en la puerta la comida, la tina para el baño y la bacina de las malas aguas, y las entraba o sacaba cuando el pasillo estaba despejado, e cuando deseaba cambiar las sábanas las echaba fuera, hasta la fecha sin manchas de sangre, y se hacía ella misma la cama, como si fuera criada. E, además, no se oían hablas ni ruidos de ningún género en aquella estancia.

Ya podía presentarse en la puerta cualquiera de las moradoras de la casa y preguntar por la salud o bienestar de los encerrados, que no contestaban ni a la bisabuela, que andaba preocupada con motivo. Por Juana, que había caído en gran insania, y por el niño de Leonor, que crecía y crecía y que habría de nacer gigante, con lo cual Leonor, que era ya mujer madura y, sin embargo, primeriza, tendría un parto largo y difícil. Y no se podía llamar a matrona acreditada para que la asistiera en la parición, pues que toda Ávila se hubiera enterado de la preñez de la marquesa y, de consecuente, sólo se podía confiar en María de Abando que, dedicándose a vender picardías y a hacer de alcahueta, pese a que aseguraba haber asistido a más de mil parturientas, a saber si era cierto, poco crédito merecía.

Cercana la fecha de que Leonor diera a luz, doña Gracia trataba a menudo con la ensalmera y, amén de ajustar con ella que fuera la matrona, le pedía que se quedara con el niño y lo criara como si fuera de su carne. Y, habiéndole contado que el marido de Juana se había presentado en la casa, que su bisnieta lo había recibido y que ambos andaban encerrados en una habitación, la instaba a que echara ensalmo a los dos para que consumaran su matrimonio o rompieran de una vez, pues que aquello no era modo ni manera, en razón de que para San Pedro cumplirían tres meses sin salir del aposento, lo que holgaba sobremanera a la bruja, pues tenía mucho que ver en la llegada de Martín a la mansión y en el encerramiento de los esposos y, claro, seguía con sus conjuros, yéndose a la noche al campo baldío.

La dama le ofrecía uno, dos y hasta tres caballos, los que le quedaban en las cuadras, una arqueta llena de doblas de oro que pesaba dos libras, un pagaré con vencimiento a tres años y otro a otros tres de mil maravedís cada uno, y hasta le daba el castillo de Alaejos para vivir retirada con la criatura que alumbrara su bisnieta. Pero, para pasmo de doña Gracia, María de Abando le decía que no quería dineros, que se quedaría el niño por nada e la señora andaba confusa.

E llegó el día. A la alborada del 29 de julio, día de Santa Marta, doña Leonor Téllez de Fonseca, marquesa de Alta Iglesia, sintió un leve dolor en el vientre, e luego otro y otro regularmente, y llamó a Wafa que, más aterrada que ella, fue a despertar a Catalina, a la bisabuela y a Marian, que se personaron de inmediato en el dormitorio. E Marian fue a buscar a Juana, que no le abrió la puerta de su aposento ni atendió a su llamada, y eso que la mora golpeó con los nudillos como si se quemara la casa. E la bisabuela mandó a Marian que fuera presto por María de Abando, que deseando servir a la señora se presentó corriendo, e atendió a la parturienta que se debatía en terribles dolores e se retorcía en la cama. E, vaya, que doña Gracia, que había dudado de la maestría de la ensalmera, se complugo, pues la mujer mandaba y ordenaba a las criadas que acercaran una bacina para recoger las malas aguas, que trajeran sábanas limpias y que hirvieran agua abundante, y mientras la bisabuela le colocaba las reliquias familiares en la frente y en el pecho para que le hicieran favor, la otra palpaba el vientre y las entrañas de la pobre Leonor que, cuando la dejaban los dolores por un instante, lloraba en razón de que dudaba de haber hecho bien al separarse de Andrés o de traer el niño al mundo, vaya vuesa merced a saber, el caso es que rabiaba de dolor.

Sobre las doce del mediodía, cuando ya apretaba la calor en la ciudad de Ávila y a la par se contemplaba un eclipse de sol que dejó boquiabierta y temblando a la población, tras un último y grande dolor de Leonor, la comadrona recibió una criatura en sus brazos toda llena de moco y sangre, la examinó y gritó albriciada:

—¡Es un niño!

Y, la verdad, allí no se alegró nadie, salvo la partera, que era ajena a la casa, y eso que la criatura había venido al mundo con las dos manos y todo lo demás que las personas tienen, a nuestro Señor sean dadas muchas gracias y loores.

E fue que doña Juana Téllez de Fonseca casi se cruzó en la escalera con María de Abando, que iba con un niño en los brazos, cuando salió de su habitación después de tres meses, dos horas después de mediodía. En camisa de dormir, con el cabello lacio y sin lavar, con mala cara, teniéndose el vientre con la única mano que tenía. Cerró la puerta dando un portazo dejando a su marido dentro, al parecer, e clamó:

—¡Marian, Marian!

Pero la esclava no la oyó, en razón de que estaba ayudando en el parto de Leonor, que ya había alumbrado un niño gordo y hermoso y, a Dios gracias con dos manos, como dicho es.

E camino de las cocinas la dama continuó llamando:

—¡Marian, Wafa!

E iba rezongando, pensando ya en castigar a sus criadas y preguntándose si, tanto tiempo sin verlas, se habrían buscado otra ama. Se presentó en la cocina y llamó a Catalina, que tampoco andaba por allí, e se puso a revolver por las alacenas, y en esto entró la guisandera con unos barreños y no debió reconocerla, pues que gritó retrocediendo unos pasos:

—¡Ah!

—¡Soy yo, Dios mío!

—¡Ay, Juana, no te había reconocido!

—Me duele el vientre, me duele mucho, dame algo que me alivie…

—¿Qué te pasa? ¿Qué tienes, niña mía? ¿Qué negocios te traes? Estás fea, desgreñada, sucia, ¿qué es aquesto, Juana, niña?

—He pasado una noche horrible y una mañana peor…

—¿Por qué?

—No sé.

—¡Hazme caso y envía a tu marido a su casa!

—¡Calla, maldita vieja!

—¿Así me pagas mis desvelos? ¡Ingrata!

—¡Calla, Catalina, me duele todo! ¡Me voy deste mundo, me vinieron terribles dolores en la madrugada y han acrecido durante la mañana!

—¡Peor está Leonor!

—¿Qué le sucede a mi hermana?

—Ha tenido un niño que se llamará Juan en recuerdo de vuestro padre… Ahora, descansa… ¡Ea, que empieza a hervir el agua! Mira, atiende, atiende para cuando yo me muera, a un preparado que me dijo María de Abando… Echas en agua hirviendo un manojo de hojas tiernas de artemisa, un chorro cumplido de vino tinto y dos cucharadas de miel. Lo dejas cocer lo que se tarda en rezar tres credos, y…

—¡Calla! ¿Un niño, has dicho un niño?

—¡Un niño que tiene las dos manos, y grandote como su madre!

—¡Par Dios, Catalina!

—¡Bébetelo, que te hará bien!

—¿Estás segura de que tiene dos manos?

—Y tanto… Lo primero que le hemos mirado las moras y yo…

—¡Oh, Catalina, eso quiere decir que los descendientes de mi hermana y míos no sufren la maldición!

—No sé qué quieres decir, vosotras no estáis malditas… Un perro…

—¡Qué perro, por los clavos de Cristo! ¿Cómo puedes decir que un perro se nos comió las manos delante de un tropel de criadas?

—Lo que se contó entonces, Juana… Ahora, yo sólo sé que tenemos que dar gracias al Señor porque el niño haya nacido entero con sus dos manos y todos sus coxoncitos de varón…

—¿Leonor está bien?

—Sí, como es mujer recia ha tenido buen parto… ¡Doce horas!

—Y con el niño ¿qué vamos a hacer?

—Se lo ha llevado la María, que ha asistido a tu hermana…

—¡Ah! ¿Es lo que ha mandado la abuela?

—Sí.

—¡Ea, vamos, Catalina, que ardo en deseos de ver al niño!

—El niño no está, se lo ha llevado la María, te lo acabo de decir…

—¡Oh! ¿Cómo puede ser?

En efecto, cuando doña Juana Téllez de Fonseca llegó corriendo, ya más arreglada de tripas, al dormitorio de su hermana para conocer a su sobrino, la criatura no estaba. A más, que Wafa le cerró el paso:

—Tu hermana se recupera, debes dejarla descansar…

—¿Dó está el niño, Wafa?

—¡Se lo ha llevado la María, la alcahueta!

—¿Sin dejármelo ver?

Y lo que le dijeron las criadas con toda la razón:

—Llevas tres meses encerrada en tus habitaciones.

—Es como si ya no vivieras aquí.

—Nos hemos tenido que acostumbrar a vivir sin ti.

—Y no creas, que lo hemos sentido…

—Te hemos echado de menos.

—Hemos penado y rezado por ti, no fuera a hacerte ese hombre alguna maldad —rezongaba Catalina.

—No he estado con «ese hombre», he estado con mi marido…

—¡Por supuesto, tú nunca estarías con «un hombre»! —interrumpió la bisabuela.

—¡Abuela!

—¡Ay, niña, cuánto bueno de ver!

—¿Y el niño?

—Se lo ha llevado la alcahueta, como convine con ella…

—Me hubiera gustado conocerlo…

—Lo verás.

—¿Y Leonor?

—Está dormida, recuperándose.

—¿Lo ha pasado mal?

—Sí, pero el negocio ha sido breve, a Dios gracias; sólo doce horas.

—¿Doce horas son pocas?

—¿Dónde está tu marido?

—Se ha quedado aviándose… Se va, abuela, nos separamos de mutuo acuerdo… No hemos consumado el matrimonio.

Y no fue la marquesa la que preguntó por qué no lo habían consumado, fue la cocinera:

—¿No ha podido?

—¡No!

—Le está muy bien —rezongó.

—He pasado un día horrible con dolores de vientre… Me ha mejorado la tisana que me ha dado Catalina.

—Te echó de menos Leonor, preguntó por ti… Debiste estar con ella, teniéndole la mano en el parto —le dijo la bisabuela con voz dolida, a la par que no salía de su admiración porque sus dos bisnietas hubieran pasado enormes dolores a la vez.

María de Abando continuó con los encantos que venía haciendo de un tiempo atrás a Juana Téllez y a Martín Gil de Torralba, yendo de noche al campo baldío con los dos muñecos, el de la dama sin la mano izquierda, es decir, manco. E ya no los unía con un cordel bermejo, no, los ponía bien atados cuerpo a cuerpo, cara con cara, como los hubieran dejado a lo mejor en una sepultura si los dos hubieran vivido una historia de amor que anduviera en los romances y hubieran muerto como dos grandes amantes. Y en el agua clara veía a Juana suspirar y a Martín yacer con mujer placera y se contentaba, pues que, aunque lentos, sus hechizos hacían progresos.

Cierto que también tuvo su mente ocupada en otras cosas que le sorbieron tanto o más el seso si cabe, sobre todo desde el momento en que la anciana marquesa le propuso asistir a su bisnieta Leonor, que estaba empreñada de su esposo, que la tomó con violencia, como ya sabía por las cocineras de los Torralba... A más, Dama de Amboto, de quedarse con el niño que naciera, prometiéndole esto y estotro.

Y, como es común que toda mujer quiere un hijo por su natura y ella, María, no podía tenerlo pese a que pretendientes para casarse no le habían faltado —por lo que oyera de boca de María de Ataún sobre que las brujas no deben tener descendencia, pues paren diablos e no es cuestión de traer semejantes criaturas al mundo que ya hay bastante mal por doquiera—, viendo solucionado el problema del demonio, en razón de que tendría un niño, o niña, a más sin la incomodidad de llevarlo en su vientre y parirlo, y que sería suyo aunque no lo fuera de natura, empezó a agradarle aquella posibilidad y dejó volar su imaginación, de la que, a Dios gracias, no andaba escasa.

183

Le vino a la mano ocasión de ser madre sin serlo verdaderamente y se contempló a sí misma con un ser pequeñajo en sus brazos, llevándolo muy sujeto, no fuera a trompicarse y lastimarlo, dándole de comer con una mamadera, aseándolo, limpiándole las heces y haciéndole arrumacos a toda hora hasta malcriarlo y, ay, que se le revolvió el corazón y, pese a que nunca había pensado en niños, prácticamente no hizo otra cosa a partir de entonces.

Iba a la mansión de la calle de los Caballeros casi a diario a preguntar por Leonor y por lo que la dama llevaba en su vientre. E hablaba con la bisabuela, que ya le tenía mucha confianza porque ella se comportaba con educación y no era una entrometida, sino fiel servidora que aconsejaba esto o lo otro para la comida de Leonor y, pese a que le extrañaba no ver nunca a las bisnietas andar por la casa, no preguntaba lo que no debía. No demandaba a la anciana:

—¿Dó andan vuestras señora nietas, que no las veo nunca por acá?

Para que la dama le mintiera, si fuera caso. Pero, dada la facilidad con que la señora Gracia le llevaba las cosas a la mano, un sentimiento desconocido hasta entonces comenzó a suscitarse en el corazón de María y comenzó a pensar, a hacer planes y discurrir qué diría de la criatura para que los vecinos de la calle de las Losillas murmuraran menos, porque murmurar, murmurarían. Andaba con los nervios aflorados y, en las postrimerías de la preñez de Leonor, no sosegaba ni de día ni de noche, y eso que se había quitado un peso de encima, pues estaba al tanto de que Juana y Martín se habían vuelto a juntar y que estaban encerrados en casa de la bisabuela, en una habitación.

De tal modo que pasaba jornadas enteras en la mansión dejando desatendida a su clientela, ya fuera acompañando a la anciana, ya a la cocinera, mujer que al principio la había evitado y hasta insultado, pero que acabó aceptándola en razón de que, parlotera como era, no tenía otra persona con quien hablar, siendo que la señora Leonor y la mora Wafa pasaban el día en la huerta leyendo y la señora Juana no salía de sus habitaciones ni para ir a la letrina. Marian hacía guardia a la puerta de su ama llorando a ratos, y la bisabuela recorría el patio o paseaba por el jardín apoyada en su bastón, o se sentaba en el comedor bajo el retrato de su marido italiano. Y eso, pues eso.

María comentaba con la cocinera:

—Me llevaré al niño conmigo, Catalina, y lo criaré mismamente como si fuera mío…

Y la guisandera contestaba:

—Todo esto es desatino… Las bodas con los conversos fueron condenadas, ya lo decía yo, pero nadie me hace caso en esta casa… Soy el último pito. Que tú te lleves al niño soluciona el presente, pero no es de ley quitarle al que haya de nacer el título de marqués…

—Doña Gracia dice que todo se podrá arreglar…

—La señora no vivirá mil años. Leonor no hará nada; ya la ves, todo el día con el pergamino.

—¿Busca alguna cosa? Anda afanada como si quisiera encontrar un tesoro…

—No he de decir palabra.

—E Juana, ¿qué hace?

—No sé, lleva meses recluida… No sale de su aposento… Es muy de ella eso de estar tiempo y tiempo con una cosa… Hasta que se encerró con su marido rezaba en la capilla día y noche…

E así transcurrían las jornadas, todas las habitadoras de la casa de la calle de los Caballeros temiendo que llegara el día del nacimiento, cada cual por sobradas y distintas razones.

La verdad es que el 29 de julio, día de Santa Marta y coincidiendo con un eclipse de sol que sobrecogió a la población de Ávila, fecha más que esperada en la mansión, Leonor y María, las más interesadas en aquel negocio, supieron estar a la altura de las circunstancias. Una trayendo un niño al mundo con mucho dolor, según maldición que la mujer sufre desde los tiempos de nuestros Primeros Padres; otra recogiéndolo con el corazón alborozado, mismamente como hubiera hecho una verdadera madre, e abandonando la casa, después de aviar a la recién parida, contenta como unas pascuas con un niño sano muy apretado en sus brazos.

17

Los reyes don Fernando y doña Isabel se reunieron en la sala del trono del Alcázar de Sevilla con una nutrida representación de prelados para que les expusieran por lo menudo lo que tenían contra la religión judía y dieron voz a todos. El primero en hablar, tomándole incluso delantera al arzobispo don Pedro González de Mendoza, que a más era cardenal de España, fue un tal fray Alonso, religioso de San Pablo:

—Saludos, señores rey y reina... Los culpables de la expansión judía fueron dos rabinos llamados Ravate y Ravina que, cuatrocientos años después del nacimiento de Nuestro Señor Jesucristo, glosaron el Talmud, lo copiaron y lo enviaron por todo el mundo hasta donde los hebreos no tenían casas...

Pero enseguida intervinieron otros quitándose la palabra de la boca, con encono muchos dellos:

—E los tales rabinos pusieron pena de muerte espiritual para que ningún judío oyese otra doctrina.

—Fray Vicente Ferrer intentó convertirlos en el reino de Valencia e lo consiguió con muy pocos.

—Llevan a sus hijos a bautizar y en cuanto llegan a su casa les lavan la cabeza para quitarles el agua bendita.

—¡En Sevilla cualquier día predicarán los rabinos la ley de Moisés desde nuestros púlpitos!

—¡Dios no lo permita!

—¡Son peste!

—¡La fiera de la herejía anda suelta!

—¡Son tragones y no dejan de comer a la costumbre judía!

—Olletas de cordero, manjaricos de cebollas y ajos fritos, carne guisada con aceite en vez de tocino...

—Por evitar el puerco, altezas...

—Además, les apesta el aliento a ajo.

—Comen carne en Cuaresma y en las vigilias...

—¡Guardan las pascuas y el sábado como mejor pueden!

—¡Violan monasterios y engañan a monjas para que yazcan con ellos!

—¡Han allegado grandes caudales y haciendas, ajustándose al dicho que Dios mandó en la salida del pueblo de Israel de robar a Egipto ya sea por arte o engaño!

—¡Son soberbios, y dicen de sí mismos, pavoneándose, que no hay gente mejor ni más discreta ni más aguda ni más honrada que ellos!

—¡Nunca quisieron tomar oficio ni arar ni cavar ni andar por los campos criando ganado!

—¡Son gente logrera!

—Nos, tenemos gran pesar por lo que nos relatan vuestras reverencias —manifestaba el rey, apesadumbrado.

—¿Y qué proponen vuestras reverencias que hagamos? —preguntaba la reina, aterrada de tanta maldad que le referían los clérigos.

—He dictado una constitución, conforme a los sacros cánones, de la forma en que el cristiano debe tenerse desde el día en que nace. La he hecho poner en tablas en las parroquias, e no ha aprovechado nada... Los judíos, altezas, son pertinaces —sostenía el arzobispo de Sevilla.

—¡La santa fe católica recibe gran detrimento! —gritaba fray Alonso con vehemencia, sin recatarse delante de los monarcas.

—¡En nuestros señoríos no queremos herejes ni apóstatas! —señalaba la reina—. ¿Qué podemos hacer, señores, contra tanta pravedad?

—¡Pedir bula a Su Santidad Sixto IV para proceder por justicia contra la herejía!

—¡E cuando se reciba la bula, ordenar la Inquisición!

—¡E castigarla por vía del fuego!

—Nos, hemos de partir hacia Extremadura para meter en cintura a la condesa de Medellín y a otros como ella que no nos entregan sus castillos y se permiten aliarse con el obispo de Évora, de tal modo que los portugueses andan por esa parte de Castilla como si fuera dellos. No obstante, de acuerdo con el señor arzobispo, dejaremos que vean sobre todo lo dicho el obispo de Cádiz, fray Alonso de San Pablo y don Diego de Merlo, aquí presentes los tres. Salud os dé Dios, señores —terminó el rey.

—Él os colme de venturas…

E luego la reina habló con don Fernando en privado:

—Mi rey y señor, treinta clérigos, entre ellos un arzobispo y un obispo, han dicho horrores de los conversos, llamados en lenguaje vulgar marranos…

—Desde la gran matanza de mil trescientos noventa y uno se convirtieron muchos, pero existe inquina general contra ellos. Yo tengo varios secretarios conversos e son buena gente y muy cristianos… Quizá todo responda a envidia.

—No sé, marido; dicen que se convierten de cara a su vida pública, pero que en sus casas siguen con sus prácticas…

—Yo dejaría este negocio; en su casa que…

—¿No irá su alteza a decir que haga cada uno lo que tenga a bien?

—¿Por qué no?

—Porque Dios es Uno… ¡Ay, Fernando!

—Pedidle vos bula al Santo Padre y ya veremos qué hacemos con ella. A fin de cuentas, el rey Felipe IV de Francia expulsó a los judíos de sus estados en el siglo XIII y más tarde los reyes de Inglaterra… De cualquier manera nos vendría bien acrecer nuestras arcas con las haciendas de los que judaízan, pues necesitamos mucho dinero para la guerra contra los sediciosos, que no van a acabar nunca… E, después de poner paz en Extremadura, haremos guerra al moro, guerra sin cuartel, señora…

—Don Fernando, lo que vos digáis.

El caballero don Martín Gil de Torralba dejó la casa de la calle de los Caballeros avergonzado tal vez, pues que había sido incapaz de cumplir como varón con su esposa doña Juana Téllez de Fonseca, e no hizo siquiera ruido al marcharse y cerrar el portillo.

El caso es que cuando llegó Juana a ver a Leonor, que estaba recién parida, e todas alzaron la voz en el aposento, la mora Wafa rogó se fueran a platicar al gran comedor para no despertar a la señora, que había pasado mucha fatiga. E damas y criadas se retiraron.

Juana se mostró empecinada:

—¡Si alguien desta casa se hubiera acordado de mí y me hubiera llamado, le hubiera podido dar la mano a mi hermana!

Pero las otras respondieron lo mismo que ya le habían dicho:

—¡Juana, hija, en estos tres meses te hemos llamado mil veces para mil cosas!

—Yo la que más, hoy mismo, cuando tu hermana entró en parto —explicaba Marian, y las otras asentían a la par que la esclava.

Después de muchas pláticas Juana explicó, primero a su bisabuela a solas y luego a las sirvientas en la cocina que, como

190

su marido había sido incapaz de quitarle la doncellez, tras mucho deliberar y sopesar la situación entrambos, habían acordado desvincularse para siempre, levantar acta ante notario de aquella separación e irse a servir a Dios. Él a los Jerónimos de Guadalupe, ella a las Clarisas de Tordesillas.

La bisabuela le dijo en un primer momento:

—Entrarás en religión si es tu deseo.

Pero las criadas se opusieron desde el principio:

—¿Cómo nos vas a dejar solas?

—¡Te necesitamos para vivir felices!

—¡Te hemos echado a faltar mientras estuviste encerrada!

—¿No te importamos una higa?

Y ella, después de asegurarles que las tres, Leonor y la bisabuela, le importaban lo que más deste mundo, aseveraba una y otra vez:

—¡Me llama el Señor Dios e no puedo permanecer sorda durante más tiempo! Lo que me ha sucedido con mi marido es prueba de que me debo a Él y no al mundo.

Ante respuesta tan taxativa, las sirvientas se quedaron mudas, pero Leonor se enfadó con ella cuando se enteró de sus propósitos y no le dirigió la palabra en varias semanas.

Y hubo muchas hablas en aquella casa sobre la decisión que había tomado Juana. Doña Gracia le advirtió cientos de veces, las criadas, miles, y Leonor le volvió la cara cuantas veces se la encontró por los pasillos. La bisabuela misma le decía:

—La vida religiosa no es fácil, es de servicio.

—Lo sé.

—Levantarse a maitines al amanecer y, después, rezar laudes durante toda la vida y cuando más frío hace, es duro…

—Estoy por ello.

—No sé si en las Clarisas se servirá a Dios como es debido, pues se comenta que la reina Isabel quiere llevar a frailes y monjas a más honesta vida e que le va a solicitar al Santo Padre licencia para reformar las órdenes religiosas.

—¡En las Clarisas se sirve a Dios, abuela, y se reza por los pecados del mundo!

Doña Gracia le hubiera preguntado a gusto a su bisnieta cómo, rezando mismamente a Dios y a Alá —en razón de que ella la había visto arrodillada en una alfombrilla y con las manos cruzadas sobre el pecho—, se iba con nuestro Dios si el otro había sido tan importante para ella como el verdadero. Y advertido a gusto también que si se marchaba de casa su hermana se moriría de pena.

Pero ya podían hablar unas y otras, que Juana no se apeó de su decisión. E, convenido un día con su marido, ella misma llamó al notario, al mismo que había levantado el acta de Leonor para que diera fe de otra separación, ésta de muy otro tenor que la anterior. Pues los esposos declararon ante el fedatario y unos testigos ajenos a sus familias, presentes las Téllez y sus criadas e la viuda Torralba por parte de Martín, que habían recibido la divinal llamada, Dios les diera ánimo para llevar la cruz que voluntariamente cargaban a sus espaldas:

—Yo, Juana Téllez de Fonseca, marquesa de Alta Iglesia, declaro ante vos, Antón de Inés, notario de esta ciudad de Ávila que, habiendo sido llamada por la gracia del Espíritu Santo para servir a Dios como la última de sus siervas, pido a mi esposo, el honorable caballero don Martín Gil de Torralba, aquí presente, que para bien y salud de mi ánima me otorgue su consentimiento para profesar en religión en el monasterio de Santa Clara de la villa de Tordesillas, cercana a Valladolid, pues es mi deseo y elección alejarme de las vanidades del mundo mientras el Señor me dé vida… E por todo lo dicho por mi propia boca solicito de vos, mi marido, otorgación y consentimiento.

Martín respondió correspondiendo al ruego, petición y demanda de su mujer:

—Yo, Martín Gil de Torralba, esposo vuestro, contesto a vos, doña Juana Téllez de Fonseca, que me es grato daros, y os doy, licencia e permiso e expreso consentimiento en el nombre de Nuestro Señor Dios para entrar en cualquier orden o religión que os plazca, en todo y por todas cosas. Amén.

E repetido el acto, dando licencia Juana a Martín, firmaron los testigos y el notario. E de este modo el matrimonio de Juana terminó, en el mismo lugar que el de su hermana gemela diez meses antes, en el gran comedor de la casa de la calle de los Caballeros.

El día de la parición de Leonor, María de Abando llegó a su casa con un niño en un brazo y un hatillo de ropa que fuera de las marquesas cuando nacieron en otro, diciéndose que menos mal que tenía dos manos, y otras dos la criatura que llevaba, pues que hubiera sido difícil aviarse siendo manca con tanto bulto y hacer pasar inadvertido al niño de haber nacido tullido.

Con un varón, mejor varón para andar por el mundo, grandote él, que ya pesaría doce o trece libras, que lloraba porque tenía hambre, pues llevaba varias horas nacido y sin comer.

Que las señoras no habían previsto lo de la ropita porque, vaya, eran muy dejadas. Leonor había parido relativamente pronto para ser mayor y primeriza, y no había preguntado ni qué era lo que había alumbrado, si niño o niña, cierto que ella lo gritó cuando la criatura le cayó en los brazos envuelto en las secundinas y bien pudo enterarse, ni si tenía dos manos, ni si era manco como ella y su hermana. Doña Gracia, dada su mucha edad, se había retirado porque le había venido angustia al ver las malas sangres. Juana no había estado presente. La mora Wafa, que era la esclava de la parturienta, se había mostrado más nerviosa que su ama. La mora Marian otro tanto, a más que le susurraba a Leonor palabras misteriosas, algo como que se recuperase pronto para continuar buscando, e bajaba la voz cuando hablaba de buscar. La Catalina renegando como siempre contra los judíos conversos. Y lo que se decía la comadrona que, vaya, era comadrona a más de ensalmera, santiguadora, saludadora, aojadora, sanadora y bruja, era que, en realidad, la naturaleza de Leonor lo había hecho todo.

Acabado el parto, la bisabuela había llamado a María a su habitación y le había entregado el niño envuelto en una sábana, pero sin pañal, pues aquellas damas no habían cogido la aguja durante los nueve meses de preñez de Leonor siquiera para coser unas bragas:

—Toma, María, será tuyo… Cuídalo como hemos convenido… Yo mientras viva te daré para que pases con holgura y nunca le regatees comida; cuando yo falte lo harán mis nietas… Aparte de criarlo, cuando alcance la edad lo llevarás a la escuela de la Catedral, pues lo haremos paje del rey a ser posible, y en el futuro discurriremos cómo le traspasamos el marquesado… Tú deberás hacer que se lo merezca y que sea buen hombre y temeroso de Dios. ¿Estás segura de que lo quieres?

—¡Oh, sí señora!

—¿Tienes algo que preguntar?

—Sí señora. ¿El niño será mío?

—Sí.

—¿Podré hacer lo que hace una madre con su hijo?

—¡Naturalmente!

—¿E nadie me dirá lo que debo hacer?

—Nadie. Pero quiero que lo lleves a bautizar, que tengo para mí que no frecuentas los sacramentos… Ya sabes, debes llamarlo Juan…

—Bueno, me voy, que la señora Leonor ya está aviada e descansando.

—Lo traes de vez en cuando, que me gustará verlo…

—Los deseos de la señora son órdenes para mí.

—¡Con Dios, María!

—Falta me hará, que he curado niños de disentería, de tabardillo, de mal de garganta y de otras muchas cosas, pero no he criado ninguno ni visto criar...

Y, vive Dios, le hacía falta ayuda del Señor, pues que cuando llegó a su casa y fue a la fresquera a buscar leche, la encontró agriada y, dejando al niño en la cama, se encaminó a casa de una vecina, que le dio un cuenquillo de leche de cabra. Se la administró con una cuchareta a la criatura pero, ay, al momento defecó unas heces verdinegras encima del cobertor poniéndoselo perdido. Y ella iba y venía como si no fuera ella, como si le hubiera venido tontera de tan azarada que estaba y le faltaran las manos. E se equivocaba y tomaba una cosa por otra, pero había de salir del ofuscamiento porque el niño tenía hambre e se chupaba las manos con rabia, y llegarse a la taberna de Petra Aldana a que le diera leche de vaca para rebajarla con miel y hasta echarle un chorrillo de vino para que no le causara daño en las tripas. E no sabía si ir con el niño o dejarlo en casa, pues que se había levantado relente pese a ser finales de julio.

El caso es que María estaba más atada con la criatura que un gato con un menudo.

18

Dejada Sevilla y llegados los monarcas a Córdoba, pusieron paces en las parcialidades que allí había entre el conde Cabra y el señor de Aguilar, que hacían guerra y paz a su arbitrio por toda aquella tierra, causando gran daño a naturales y vecinos. Y, oyendo a muchas personas, mandaron hacer justicias y restituciones a las gentes que por unos o por otros habían quedado desposeídas de sus haciendas, con lo cual tornó la paz a aquel lugar y aun anduvieron haciendo otro tanto por la comarca. A don Alonso de Aguilar lo hicieron devolver las torres que tenía y lo expulsaron de la ciudad con la manda de que no tornara sin su licencia. Al conde de Cabra no lo mandaron llamar, aunque hubiera sido del gusto de la población que los reyes sometieran a su autoridad a ladrones grandes y pequeños. Además, que llegado a los oídos de rey y reina que sus oficiales, contadores, alcaides, secretarios, mayordomos y escribanos se repartían grandes dádivas so color de derechos de sus oficios, y se atrevían a demandar más de lo debido, los señores investigaron. E ciertamente hubieron de privar del cargo a unos cuantos abusones y aun confiscar los bienes de otros, de los que habían aceptado soborno.

Y en ésas estaban los reyes, muy enojados, pretendiendo don

Fernando abroncar a Gonzalo Chacón, que no se había enterado de nada:

—¡Este hombre no ha sabido ver qué estaban haciendo sus subordinados a sus espaldas!

—¡Discúlpele su alteza, que no puede estar en todo!

—¡No tiene disculpa!

—Me sirve a mí en lo grande y en lo menudo… Perdónelo don Fernando… ¡Hágalo por mí!

—Si vos me lo pedís, lo haré…

Y hubieron de interrumpir aquella conversación, que bien pudo terminar en porfía, porque llegaron nuevas de que el rey de Portugal don Alfonso había regresado a su país después de viajar a Francia para sellar grande alianza con aquella monarquía y, juntas ambas, hacer cuña contra Castilla por el norte y por el oeste, Dios no lo permita. Y, es más, supieron también que el arzobispo de Toledo estaba juntando gente de armas en Alcalá de Henares para unirse al lusitano y al francés, olvidando los juramentos que había hecho a sus señores naturales y llevando hablas secretas con don Alfonso para informarle que era el mejor momento para proseguir la guerra abandonada tras el descalabro de Toro, en razón de que había muchos nobles descontentos con el hacer de Fernando e Isabel.

Los reyes alertaron a todas las fortalezas situadas a diez leguas de los reinos enemigos. En Toledo, don Gómez Manrique, el autor de farsas, que a más era un gran capitán y tenía la ciudad, hubo de enfrentarse a la vecindad que, partida en partes, creía que mudando de rey cambiaría de fortuna, pues andaban los habitadores corajudos porque habían de sostener a las gentes de armas que componían la Hermandad, tributo que les resultaba muy oneroso a más que se sumaba a otros.

Pero lo que hablaba don Fernando con doña Isabel en el Alcázar de Córdoba:

—Lo malo no está en los vecinos de ciudades y villas, sino en el arzobispo Carrillo que malquista desde Talavera y que ha invitado a holgar en esa villa al rey de Portugal, cuando hasta su hijo, el príncipe Juan, intenta disuadirlo, pues no en vano lo derrotamos en Toro… Y en esa maldita condesa de Medellín que tiene Mérida y, conforme avancen las tropas lusitanas, les servirá de bastión…

—Es un veneno esa condesa…

—Es hija de su padre.

—Hija bastarda de don Juan Pacheco, el antiguo marqués de Villena… A mí me lo hizo pasar mal este hombre, aunque recuerdo muy bien que siendo muy chica se presentó en Arévalo, donde vivía yo con mi señora madre y mi hermano Alfonso, e fue el primero que me quiso casar con vos. Es más, le aseguró a mi madre que haría un buen matrimonio.

—¿Y ha hecho su alteza buen matrimonio?

—¿Vos qué creéis?

—No sé, os lo pregunto…

—Recordad, mi rey y señor, que fueron los ángeles los que me abrieron paso en la casa de Vivero para unirme a vos…

—¡Qué tiempos, señora!

—Cuánto ha cambiado todo, marido mío, en pocos años… ¡Oh, ya llaman a la puerta, Fernando, abrid vos!

—No nos dejan estar ni un minuto…Voy a abrir, esta noche continuamos —terminó el rey, haciéndole una carantoña a su esposa.

E, vaya, que las malas noticias de la posible invasión portuguesa y de la alianza de su rey con el arzobispo Carrillo de Toledo llevaron a los reyes a Guadalupe para proveer por allí contra la más que posible guerra. Por eso enviaron capitanes para que guardaran el marquesado de Villena y, es más, hartos ya de tanta deslealtad, embargaron las rentas del primado, para que se enterase de quién mandaba en Castilla, pues tenía el hombre el pensamiento siempre lleno de alborotos, y atinaron porque presto no pudo pagar ni el sueldo de sus domésticos, a más que no se le juntaron gentes. Recibieron a los embajadores que les envió el rey de Francia con grandes señas de amistad, sabedores de que poco antes le había prometido lo mismo al portugués, conscientes de dónde estaba el rey de Francia; no obstante, los honraron mucho, y Fernando aprovechó el momento para hablar con ellos del pleito que tenía por el condado de Rosellón en los reinos de Aragón, largo litigio cuya resolución quedó en manos de dos hombres buenos.

Los reyes no estuvieron quietos, que no iba con ellos la quietud, y no doblaban el brazo a la hora de hacer justicia o llamar al orden. Por eso, cansados ya de que la condesa de Medellín tuviera tomada Mérida, cuando pertenecía de antiguo a la orden de Santiago, y conocedores de que la dueña, mujer de grandes atrevimientos, había tenido preso durante cinco años a su propio hijo, le enviaron a su condestable con nutrido ejército a que la pusiera en obediencia. Pero no olvidaron la vía diplomática para evitar la guerra con el reino vecino; muy al contrario, doña Isabel cruzó abundantes cartas con su tía, la duquesa viuda de Viseo, mujer asaz sesuda y hermana de su señora madre, que continuaba con sus bordados en el castillo de Arévalo esperando la llamada del Señor, para que convenciera al rey Alfonso de Portugal de abandonar la malhadada idea de conquistar Castilla; y, claro, la voz de la infanta se sumó a otras, y en aquellos países se levantó barullo.

E llamada la reina por su señora tía, la duquesa, que fuera más cerca de ella para intercambiar mensajeros con mayor facilidad, los monarcas se mostraron dispuestos a llegarse a Trujillo, pero antes de dejar Guadalupe les sorprendió una mala noticia: la muerte del rey don Juan de Aragón, Dios lo haya acogido en su seno, acaecida a 20 de enero de 1479, día de San Sebastián, en la ciudad de Barcelona. Así las cosas, todos los del reino de Aragón, de Valencia, Sicilia, del principado de Cataluña y del resto de islas y señoríos, llamaron a don Fernando para que fuese a tomar posesión de los sus reinos.

E, como ya habían cargado los equipajes en los carros y las gentes de la compaña estaban montadas en los caballos y mulas, los soberanos de Castilla y Aragón tomaron la vía de Trujillo, donde le celebraron solemnes funerales al rey muerto, y discutieron con las gentes de su consejo el orden que debían llevar los títulos de los señoríos que tenían en las cartas que expidieran en el futuro. E quedaron así:

«Don Fernando y doña Isabel, por la gracia de Dios, rey y reina de Castilla, de León, de Aragón, de Sicilia, de Toledo, de Valencia, de Galicia, de las Mallorcas, de Sevilla, de Cerdeña, de Córdoba, de Córcega, de Murcia, de Jaén, del Algarve, de Algeciras, de Gibraltar, conde e condesa de Barcelona, señores de Vizcaya e de Molina, duques de Atenas y de Neopatria, condes de Rosellón y de Cerdaña, marqueses de Oristán e de Gociano, etcétera». Porque tenían más, al parecer.

Fernando picó espuelas camino de Aragón para tomar posesión de los sus reinos, quedándose Isabel sola para ordenar en toda la desventura que se preconizaba para el reino de Castilla, para defenderlo del enemigo, pues don Alfonso de Portugal, ciego y sordo, tenía varias fortalezas por Extremadura. E así las cosas, cruzaba cartas con su marido, que estaba en Barcelona:

Me voy a Alcántara. Se la he pedido al alcaide que la tiene de mi hermano y tengo para mí que me la ha de dar. Si es así, me iré allí para estar más cerca de mi tía doña Beatriz, si no ya veré. Haré venir a nuestra hija de Segovia, pues parece que, de haber paces, entrará en el trato, pues habremos de dar rehenes y don Alfonso los quiere de linaje. No me importa, porque al lado de mi tía estará bien y aprenderá portugués… Mi rey y señor, ¿qué os parece?

Mi señor padre, el rey don Juan, Dios le dé vida eterna, lleva nueve días de cuerpo presente en la casa episcopal. Lo han vestido con un muy rico ropón de terciopelo carmesí, forrado de martas cebellinas, largo hasta los pies y debajo lleva una túnica de seda del mismo color, e calzas granas, e zapatos de fustán con bordados de plata. En la cabeza le han colocado un bonete negro y sobre él la corona, en el pecho el collar del Toisón de Oro del duque de Borgoña… Es una procesión de gentes, lo velan de día y de noche… Os digo, señora, que habré de empeñar mi collar de la dicha Orden para pagar los treinta mil panes que lleva el obispo entregados a los pobres que vienen a llorar el cadáver de mi señor padre, a más que en velas llevo gastada una fortuna… Don Juan será enterrado en el monasterio de Poblet, que es del Císter…

E cuando doña Isabel le leía la carta de su esposo a doña Clara, se mostraba quejosa del contenido, pues que no le decía palabra de qué hacer contra el portugués y los rebeldes de Extremadura, pero la mayordoma le respondía:

—Vuestra alteza sabe muy bien qué hacer en esta guerra que tenemos… Si vuestro esposo os dijera qué hacer, seguramente se quejaría de que le decía y no la dejaba hacer.

Y, en efecto, lo sabía, y se hubiera molestado de haber recibido instrucciones.

Fernando, mi rey y señor, he de entregar a la infanta nuestra señora hija para conseguir la paz. No temáis, que mi tía la cuidará como si fuera suya… Le voy a dar oro y joyas, para que luzca en la corte de Lisboa, pues está hecha una mocita.

¡Entregadla, que ha de estar asaz bien con doña Beatriz, que es mujer de prendas y muy cristiana!

Y deste modo, el rey en Aragón atendiendo a sus negocios y la reina en Extremadura, tras sofocar las revueltas y conquistar los castillos, firmó paces entrambos reinos en Alcáçovas, ella por Castilla, su tía Beatriz por Portugal, por las cuales entregaba a su hija Isabel en prenda de alianza para casar cuando estuviera en sazón con el príncipe Alfonso, hijo de don Juan, el heredero del trono lusitano. A su vez el rey de Portugal renunciaba al título que había usurpado de rey de Castilla, a más que juraba no consumar su matrimonio con doña Juana la Beltraneja, que tenía diecisiete años, y darle seis meses de tiempo para dirimir su porvenir: si quedarse en Portugal, o maridar con el príncipe Juan de Castilla, niño de pocos meses, quedando rehén de la duquesa de Viseo hasta que la criatura alcanzara la edad púber, o entrarse en un convento. Sabedora de lo que la esperaba, doña Juana, dicha la Beltraneja, profesó en las Clarisas de Coimbra e se puso bajo el amor de Dios.

Arreglado lo anterior, los reyes convocaron cortes en Toledo para solicitar subsidios, pues que las rentas de la Corona estaban enajenadas de tal manera que no tenían para mantener a sus hijos ni para llevar el gasto de su casa. Y, como apenas les quedaban alcabalas ni tercias, pidieron a los que las tenían del rey Enrique que las devolvieran, dándoles a cambio juros de heredad a perpetuidad, e a los que no se las quisieron tornar se las compraron a bajo precio. Pues lo que dijeron a los procuradores que hacían así o tendrían que imponer nuevos tributos con el consiguiente agravio de sus súbditos e, aunque al principio hubo barullo en el Alcázar, luego se sosegaron los ánimos y hasta cambió el talante de las gentes, de tal manera que nadie osaba sacar las armas contra otro ni enojar al vecino ni alzar la voz. Y lo que se comentaba en la sala del trono del palacio y por toda la ciudad, que la justicia de rey y reina llegaba a todas partes y mejor aceptar lo que dijeran, pues que ambos eran hijos predilectos del Altísimo como se venía demostrando, en virtud de que todo negocio que pretendían, iniciaban, desarrollaban y concluían les salía bien, y nadie dudaba que eran benditos de Dios. Y es más, empezó a correr por Castilla que don Fernando había nacido en gracia, cuando señoreaba en el ancho cielo el cometa que se avistó en 1452. Y de doña Isabel se comentó largo que, pese a lo mucho que había quitado a todos, dejó a las iglesias, conventos y monasterios con el mismo pan y todas las cosas que tuvieren, es decir, que no les quitó nada ni se las compró por dos reales.

Mucho revuelo causó en el palacio de la calle de los Caballeros la irrevocable decisión de Juana de entrarse en las Clarisas de Tordesillas, pues lo que decían las moradoras, si al menos hubiera elegido un convento de la propia Ávila, yendo a misa allí la hubieran podido ver en el momento de comulgar, cuando asomara la cabeza por el ventanillo que abrían de la clausura. Pero, Señor Jesús, en Tordesillas, tan lejos, no la verían nunca más, y la casa se quedaría triste, triste, y la bisabuela se dolería y la cocinera también, y las moras gritarían ese grito desgarrado que arrojan por su boca los musulmanes en situaciones de dolor; además que Leonor, abandonada la lectura del pergamino, ya sufría y más parecía un alma en pena vagando por la casa.

Doña Gracia hablaba con ella y se quejaba:

—Juana, hija, del convento no te dejarán salir ni para verme morir…

E Juana la interrumpía con otro negocio:

—¿Cuándo va su merced a llamar al notario para formalizar la renuncia de la parte que tengo del marquesado a favor de mi señora hermana?

—Ya que hablas de eso e evitas platicar de otra cosa, te diré que el título lo tienes de *iure* pero no de *facto*, pues que el castillo y villa de Alta Iglesia fue asaltado y ocupado por unos ladrones durante veinte años o más, seguramente más, desde que lo vino a decir aquel preste que llevaba una sacristana con él y que vivió en esta casa, ¿lo recuerdas? Ahora lo tienen los reyes, cierto que están por devolvéroslo a ti y a Leonor…

—E se lo has pedido a la reina.

—¡Sí!

—Bueno, pues abrevia el negocio porque yo para Santa Clara entro en el convento, como tengo convenido con la señora abadesa.

—¿Qué día es?

–El once de agosto.

–¡Imposible! La reina todavía no os habrá tornado el título...

–Yo no necesito ser marquesa; que lo reciba mi hermana, ¿no hemos quedado que renuncio y amén?

–Tú tienes que estar presente cuando su alteza lo dé...

–¡No!

–¿Con esa rebeldía que te ha venido de pronto te vas a ir a servir a Dios?

–Mira, abuela, no quiero porfiar contigo; me voy a dar un paseo con Marian... E no descuides lo de mi renuncia. ¿Al menos a Leonor le parece bien lo que voy a hacer?

–Tu hermana no quiere un título de nobleza para ella sola, quiere una hermana a su lado...

–¿Quiere una hermana y no me habla en semanas?

–Lo único que ha hecho sin ti ha sido traer un niño al mundo; si hubieras estado con ella...

–No es cierto, ha hecho otras cosas sin mí... ¡A Dios!

–¡A Dios, hija!

Y Wafa, la que más lloraba de todas las habitadoras de la casa, le comentaba en los escasos momentos en que Leonor le daba asueto:

–Juana, hija, te he criado y atendido desde que naciste, ¿me vas a dejar sola?

–No admiten criadas en las Clarisas, ni menos moras...

–Podrías pedirle a la priora que me tomase de fregona o de guisandera, al menos viviríamos en la misma casa...

–Eres mora, Wafa, no puedes estar en un convento cristiano.

–Pues en tu boda no llevé velo y estuve en la iglesia como una más...

–No insistas, no insistas... Que entre todas me estáis sacando de mis casillas...

–Oye, Juana, si quieres voy a que me bautice el párroco...

204

—No, no quiero que te bauticen, eres musulmana… ¡E calla ya!

O era Marian la que la recriminaba:

—Tu hermana anda apenada, y si te vas es capaz de morir de pena; ya conoces el afán que pone en lo que hace.

—Mi hermana no me habla, lleva muchas semanas sin dirigirme la palabra.

—Le dolió mucho que no estuvieras con ella…

—¿Por qué mientes? Lo que la trastorna es haber dado a su hijo a esa María…

—Eso también, que yo no he tenido hijos, pero tengo para mí que un hijo no se da…

—En vez de venirme a mí con matracas, habla con ella y que lo remedie cuanto antes, que luego será tarde.

O era Catalina:

—Cuando ponga sopa a cocer, será Leonor la que se coma el tuétano de los huesos, que yo siempre te lo he dado a ti porque eres la más menuda de las dos… Ay, ya no confundiré vuestras voces… Ya no iremos a comprar nunca juntas yemas ni membrillo…

—Ya no seremos la buena y la mala, la alegre y la triste, la necia y la aguda…

—¡Ay, Juana, no te enojes!

—En todas las familias, un hijo o una hija entra en religión y no se organiza trapatiesta; al contrario, se alegran las gentes de que un familiar se vaya a servir a Dios y a rezar por ellas.

—Aquí no, quizá porque somos pocas personas…

—En esta casa es como si Dios no existiera… Leonor y yo nos hemos criado con Dios y con Alá, las moras han adorado a Alá, la abuela no ha tenido a otro dios que a don Beppo, tú la única cristiana de la casa, y odias a los judíos y a los conversos…

—¡Calla, Juana, calla, no hables de esas cosas!

Fue Leonor la que habló a su hermana después de mucho tiempo de evitarla:

—Juana, no quiero tu media parte del marquesado…

—Debes tomarlo, de otro modo habrá jaleo con las monjas… Voy a llevarles sólo dinero contante y sonante. Los inmuebles quedarán para ti; nuestra abuela lo quiere así, pues no desea partir las vajillas de nuestra señora madre ni el ajuar de otras antepasadas con ellas… Me llevaré mis cosas personales… Te dejo casi todo, hermana, hasta el tesoro del rey moro.

—Dice nuestra señora abuela que al convento puedes llevar una dote, la que quieras, sin renunciar a lo demás, pues quién sabe…

—Yo sé lo que he de hacer.

—¡Qué suerte tienes de saber lo que has de hacer! Yo no sé si he hecho bien de separarme de Andrés.

—Hiciste muy mal, máxime estando encinta… Pero lo peor que has hecho ha sido dar a tu hijo a esa María, que además de alcahueta es bruja.

—No podía tener al niño en casa; se hubiera corrido por Ávila e la justicia se lo hubiera entregado a mi marido.

—No sé qué clase de sentimientos tienes, ni si tienes sentimientos… A ratos me resultas inhumana hasta el delirio…

—¡Ay, amarga de mí! A veces es menester acallar los sentimientos…

—¡Ea, hermana, reflexiona y enmienda lo que se pueda enmendar!

—Ando desganada, no puedo pensar siquiera en el cofre de don Tello… He dejado de buscarlo…

—¡Albricias, Leonor; ahora podrás pensar en tu hijo!

—¡Me tratas mal, Juana!

Y así o parecidos se sucedían los días en el palacio de la calle de los Caballeros. La bisabuela valorando los bienes de sus bisnietas con el judío Yuçef, el que más sabía de precios en la ciudad de Ávila, para dividirlos con equidad, contando las doblas que le tenía guardadas el hebreo para darle a Juana la parte que le correspondía, dudando si convertirlas en pagarés para no llevar dinero, cada vez más cansada de los jaleos que se suscitaban en aquella casa, tentada de poner a la venta el palacio de Milán y la villa a orillas del Tesino, pues que se veía ya con poca vida. Entre otras cosas, porque un día, sin comer alimento duro ni roer huesos, se le cayó un diente, un colmillo, que la afeó mucho, y fue menester llamar al sacamuelas para que le extrajera la raíz, e le dolió harto. En pleno sufrimiento, pidió un espejo de mano y no paró de mirarse el hueco que le había quedado en la boca, y fue quizá por eso que dejó de sonreír y se mostró taciturna.

Taciturna andaba también Leonor porque su hermana, que era mujer terca como no había otra terquedad en el mundo, iba a profesar en religión en breve y, vaya, que ser el doble de rica de lo que ya era no le contentó miaja. A más, que estaba lo del niño, lo de su hijo. Lo del hijo que le diera a María de Abando, que era mujer trapacera y hasta bruja quizá. Que le dio el niño, a su hijo, como si le diera un gatito, quiá, no de ese modo, peor, que los animales recién nacidos suscitan sentimientos de ternura. Y ella no, no, no tuvo apego ni cariño ni ternura, siquiera curiosidad, por el ser que había de nacer ni durante ni después del parto.

Pero se interesó por él y a Wafa le preguntó qué había traído al mundo, si un niño o una niña, si estaba entero y si tenía las dos manos, y bien hubiera podido terminar con la vida del niño o la niña, porque la dicha María se lo propuso a las claras, pero no quiso, que iba contra Dios y contra la vida que Dios da a cada persona e, de consecuente, no podía privar de la vida a lo que naciera, un niño en este caso. Y, aunque ciertamente no lo miró a la cara ni lo tuvo en sus brazos ni le dio un apretujón, ella fue la que le indicó a Wafa que le pusieran el nombre de Juan, por su hermana y en recuerdo de su padre.

Claro que ahora empezaba a penarle, tal vez porque la dicha María había venido dos veces a la casa con el niño en brazos a visitar a la bisabuela y, pese a lo que pensaban las otras habitadoras, aquella maldad de que carecía de sentimientos, no carecía dellos, quiá, los tenía y muy profundos además, pues que le latía apresuradamente el corazón nada más de pensar en la criatura. Y a los nueve meses de ser madre sin serlo pues no ejercía de tal, tan hermoso que debía de ser, ya hubiera dado la única mano que tenía por tener a Juan en sus brazos.

Subiendo y bajando las escaleras, recorriendo los pasillos de la mansión como una sombra, tras reflexionar abundante sobre el particular, Leonor ya se decantaba por plantearle sus cuitas a la bisabuela a fin de enmendar lo que había hecho tan torpemente y traer el niño a casa. E inventaba historias, previa preparación de la escena, para contar: que alguien, que una mala madre, había dejado el crío en la puerta del palacio, que se lo habían encontrado en un camino, medio muerto de frío y lo habían recogido como buenas cristianas que eran; o que había llovido del cielo, en fin.

Pero sucedió que la reina doña Isabel, Dios le dé larga vida, la llamó para que fuera con su bisabuela y su hermana a Toledo a ocupar en la jura del príncipe Juan como heredero de la Corona el lugar que le correspondía entre los linajes de Castilla, el cuadragésimo, como va dicho. E fue de mala gana porque la bisabuela dijo:

—Las Téllez no faltaremos a tan fausto acontecimiento.

El hijo de Leonor crecía en los brazos de María de Abando, que muy bien cuando le hacía carantoñas o cosquillas y el pequeño le sonreía, pero a ratos no sabía qué hacer con él, máxime cuando lloraba, pues que no tenía experiencia con los negocios de la maternidad ni se había ocupado durante el tiempo en que acordó con la marquesa quedárselo en preguntar a las madres jóvenes, lo que le hubiera sido útil, aunque inútil también, pues que cada niño es un mundo. No obstante, como Juanico era tragaldabas, se estaba criando sólo con la leche de vaca rebajada con miel y el chorrito de vino e con papilla de trigo, y a los nueve meses era una bola risueña y llorona que pesaba dieciséis libras. Un peso que llevar a sus espaldas cuando iba de aquí para allá, pero María caminaba ufana con él porque era hermoso como un ángel e las buenas mujeres la paraban por la calle para hacerle arrumacos. A más, que había sido aceptado por la vecindad como uno más, como si ella tuviera marido, pues a los tres días de llegar a su casa con él, a la atardecida, llamó a las vecinas, sacó unos vasos, aguardiente del bueno y unas tortas. Reunidas en el zaguán, les explicó que había ido a una aldea cercana para asistir en el parto a una moza que había fallecido e que como la criatura, la campesina, no tenía familia ni, de consecuente, el niño tampoco, se lo había traído con ella para darle crianza en el amor de Dios. Y fue que alabando su buen hacer se quedaron todas las comadres conformes, en razón de que ante la orfandad del Juanico hubieran hecho otro tanto. A ver, que todas eran madres y en la mesa de San Francisco donde comen cuatro comen cinco, y eso, no fue menester que María mintiera más, e hasta una de aquellas mujeres fue madrina en el bautizo y su marido padrino.

Así las cosas, a ratos azarada, a ratos quejosa, a ratos radiante, arrojando de la puerta de su casa al Perico, que continuaba rondándola, ya con más causa porque conoció que estaba casado, el muy bribón; ocupada de día y de noche, dejados ya los ensalmos que había venido haciendo para ayuntar carnalmente a los esposos Torralba Téllez, en razón de que los dos habían pactado entrarse en sendos conventos, atendiendo a su clientela con menos afán que anteriormente, por el Juanico, que le arrebataba el corazón, hubiera podido ser feliz, todo lo feliz que cabe ser en este mundo, pues que no en vano tenía un hijo, casa propia, amplia además, con habitación para sus ollas, buena chimenea, buena ropa, buena vianda, buen lecho con dos plumazos mullidos, e clientela sobrada. Lo dicho, hubiera podido ser feliz, pero es común que la felicidad se troque de la noche a la mañana en amargura.

Porque sucedió en Ávila que fray Tomás de Torquemada vino una vez más a sermonear a santo Tomás, e que la vecindad se abarrotó en la iglesia como en ocasiones anteriores. María no fue a escuchar al prior porque no había sido instruida en la doctrina cristiana y le resultaba tedioso, pero la encendida voz del dominico, que más parecía un rayo, soliviantó los ánimos de la población, pues que la había emprendido contra los judíos y, como debió parecerle poca diatriba la que salió de su boca, también contra las brujas.

E, claro, los habitadores de Ávila, muy engallados, pidieron hogueras e increparon a los judíos que, sintiéndose amenazados, se encerraron en sus casas con la tranca, pues Su Santidad Sixto IV ya había remitido bula a los reyes para restablecer la Inquisición y terminar con la herejía. E, sin hacer distingos, abuchearon a los conversos, creídos de que muchos continuaban judaizando, y a las brujas, las hijas de Satanás, según voceó el predicador desde su púlpito, sin ningún motivo.

En principio todo fueron insultos, pero luego hubo más; en concreto, en la calle de las Losillas los vecinos sacaron imágenes de la Madre de Dios a la puerta de sus casas e se colgaron del cuello escapularios.

María, vido lo que había, se apresuró a tomar medidas. Levantó dos montones de piedras en el umbral de su casa, uno a cada lado, y tendió un paño bermejo en la ventana del piso de arriba.

Y, qué quiso hacer, pardiez, qué quiso hacer... El hecho fue que la vecindad, que se había limitado a mirarla mal, comenzó a llamarla bruja cuando salía o entraba, ya llevara en brazos al niño o no lo llevara, y aunque ella, al principio, no hizo caso, sino que sonrió con su mejor expresión, presto hubo de correr a refugiarse en su casa, tan torvamente la miraban y tan malamente la increpaban:

—¡Bruja!

—¡Hija de Satanás!

—¿De quién es tu hijo? ¿Del diablo?

E de ese modo a María, que a mucho era ensalmera, como repetía una y mil veces a quien quisiera escucharla, le venían pavores e aceleraba el paso o corría con toda su alma. Porque bien sabía que aquellas gentes buscaban brujas y, las hubiera o no las hubiera en la ciudad, estaban dispuestas a encontrarlas. E no se atrevía a enfrentarse a la multitud, a las mismas mujeres que habían bebido su aguardiente en el zaguán de su casa poco antes.

El caso es que ya no le iba parroquia, que incluso los desesperados, hasta los que le habían ido a pedir veneno para acabar con su vida, que alguno hubo, la habían abandonado, e que el personal llamaba a su puerta gritando:

—¡Bruja, bruja!

—¡Hoguera para María de Abando!

Y ella se preguntaba:

—¿Qué he de hacer, Dama de Amboto? ¿Marcharme a otra ciudad o vagar mientras viva?

Y la Dama de Amboto, que estaba lejos, en las provincias Vascongadas, no le contestaba; por eso le demandaba otro tanto al Cristo de la Luz que, pese a estar a escasas tres millas de ella, tampoco le respondía. O ella no le escuchaba, porque había jaleo fuera, por el gentío, y jaleo dentro por Juanico, que lloraba de oír a los de fuera llamándola lo que no era.

Por eso, puesta en un brete, decidió marcharse de Ávila con dolor en su corazón, pues que habría de abandonar su casa y sus cosas, lo que tenía después de muchos años de no tener nada salvo un talego y de vivir de la caridad que le había hecho la hermana Miguela; después de ser llamada «santa», que así la llamaron las buenas gentes cuando se estableció en la ermita, e más de una mujer, destalentada por demás, pretendió que hacía milagros y, vaya, que de repente, como quien dice, era bruja.

E como el jaleo, que la mantenía en vilo, sólo decrecía a la hora del almuerzo y entrada la madrugada, habiendo anticipado al judío Yuçef tres meses del alquiler de la casa por si tardaba en volver, hechos tres talegos de equipaje que pesaban una arroba y con el niño en brazos, optó por largarse antes de que amaneciera cuando sonaban las cinco en el reloj de la iglesia de Santo Domingo, abandonando lo que había querido: su casa, sus cosas y su ciudad.

Cuando empezó a clarear, anduvo bien pegada a la muralla para disimular su propia sombra con el niño dormido en los brazos, bendito sea Dios, pues que de haber llorado la hubieran descubierto los que querían llevarla a la hoguera. Y, tras esperar que abrieran la puerta del río, tomó el camino de los puertos, el del sur, para detenerse a quinientos pasos y dejar uno de los zurrones que llevaba, el que menos falta le hacía, escondido en el hueco de un árbol para volver a buscarlo cuando regresara, porque habría de tornar, pues no en vano había dejado enterrado casi todo su dinero bajo la tapia de las Gordillas, como va dicho.

E iba renqueando, pensando en dejar otro talego, mirando de tanto en tanto las admirables murallas de la ciudad, cuando el Juanico comenzó a lloriquear pues tenía hambre, e se detuvo a la vera del camino para prepararle la mamadera. Prendió una hoguerica e puso un cuenquillo al fuego para calentarle la leche, y en ésas estaba cuando oyó gran alboroto a su espalda e hubo de ocultarse entre unas matas y grandes piedras, dichas por allá cantos, pero no le valió de nada porque unos jinetes de la Hermandad de Ávila, llamados por el humo, la descubrieron al instante.

Cierto que, viéndola mujer y con un niño, como no la conocían, la dejaron estar y sólo le preguntaron si había visto a una mujer vieja y arrugada, a una bruja que causaba pavor verla, que además iba sembrado piedras por el camino, haciendo montones, borrando sus pasos y conjurando a los demonios con semejante hechicería. Y no, dijo que no había visto a ninguna mujer, y se guardó muy mucho de decir que, aunque joven todavía, era ella. Aprovechando que los hombres iban mal informados, siguió apriesa, apriesa, con el cuenquillo de leche en la mano, a tal paso que las liebres de haberla visto le hubieran tenido envidia.

Se detuvo en un claro a dar de desayunar al niño y a cambiarle el pañal. Guardó el sucio, pues que tenía cuatro pañales pero no más, para lavarlo en la primera fuente que encontrara, y tornó al camino conocedora de que en cualquier momento podía toparse con otro piquete de soldados.

Y sí, al caer la noche, oyó ruido de pasos, se detuvo dispuesta a hacer su mejor hechizo, a convertir a los que la buscaban en sapos. Dejando al niño en la ribera del camino, alzó los brazos e a punto estaba de convocar al señor Satanás, pero no eran soldados, no, era el hombre desnudo, el que andaba por Ávila enseñando lo que se tapa, que se le presentó bailoteando las manos y gritando:

—¡Don Juan!

—¡Pardiez, eres tú! ¡Qué susto me has dado! ¡Un poco más y te envío al mundo de los sapos!

E, vaya, que como había pasado tanto miedo, aceptó de grado la compañía del tipo; eso sí, le hizo señas de que se cubriera sus vergüenzas y él obedeció. Entonces María le dio pan y queso y al niño también un buen tarugo de pan, porque no podía hacer fuego, e los tres hicieron aprecio al yantar. Pero la mujer, antes de ponerse a dormir al claro de luna, le pidió al loco:

—Mira, don Juan, si esta noche vienen soldados, pues me buscan, coges a mi hijo y lo llevas a casa de las marquesas de Alta Iglesia, en la calle de los Caballeros. Llamas a la puerta y se lo das a la primera mujer que salga, dices que es el hijo de Leonor y que vas de mi parte. Yo soy María de Abando… ¿Lo harás?

Agradeció María que el hombre asintiera con la cabeza, pues no habló palabra siquiera parecía decirle otra vez que se llamaba don Juan, que no le bailoteara las manos y que se durmiera pronto, pues tenía muchas cosas en qué pensar. Y es que, ay, le venía a las mientes la muralla de Ávila, aquel inmenso cerco, cuyos moradores la habían querido y, ahora, los mismos, la perseguían. Y movía la cabeza, apesarada, diciéndose que de haber tenido una mano libre, después de atravesar el puente, se hubiera quitado las sandalias para no llevarse de allí ni el polvo, aunque bien sabía que estaba llamada a regresar, por lo de su dinero, su tesoro. E con ése o con los miedos que llevaba porque los soldados la querían atrapar, creyéndola bruja, lo que le producía tanta pena o más que lo anterior, pasó la noche en una duermevela. Para, al despertarse, tentar al niño y constatar que, ay, ay, no estaba el Juanico, ni unas varas más allá el don Juan, que se lo había robado.

Y, abandonando su equipaje, creída de que el loco la habría entendido mal, regresó a Ávila, exponiéndose a que la hicieran presa, a que la encerraran en una celda y a que la llevaran a la hoguera, en razón de que, aunque no lo fuese por su natura, actuó como las madres hacen. E de noche hizo los conjuros oportunos y se encarnó en ave, o en abejorro, que nunca lo supo. Y volando, o como fuere, se presentó en la calle de los Caballeros e llamó a la aldaba, y lo que se dijo luego, pasado un tiempo, cuando pudo serenarse y pensar en el negocio:

—Aquella vez volé de verdad, pues que, cerradas las puertas de la ciudad, las murallas de Ávila resultan imposibles de trepar.

Llamó, arrebatado el ánimo, a la aldaba de las marquesas, e acudió a la puerta la vieja Catalina que, viéndola como venía, le dijo con voz serena.

—El hombre que anda desnudo me ha traído al hijo de Leonor de tu parte. Las marquesas no están, que esta mañana han partido hacia Toledo.

E le ofreció un vaso de orujo e la entró en la cocina e le enseñó el niño, que dormía plácidamente. E cuando María respiró a su ritmo habitual le acercó una escudilla, y le informó:

—Te buscan, María. Corre por toda la ciudad que eres bruja... Es clamor lo que hay contra ti... Márchate cuanto antes... Al hijo de Leonor lo cuidaré yo e cuando regresen las señoras lo haremos todas.

—Te dejo a mi hijo, no al hijo de la señora Leonor... Te lo dejo porque estoy apurada, pero volveré por él.

E tornándose otra vez en ave, o en lo que fuere, en razón de que la Catalina la vio desaparecer por un tris, volvió a la vía de Toledo con un solo talego a la espalda para ir más descansada.

Antes de subir los puertos, María se encontró con unas buenas gentes de Salamanca que llevaban su mismo rumbo e iban a la jura del príncipe don Juan. Ellas le hicieron hueco en un carro y anduvo como una dama, eso sí, echando en falta al Juanico y despotricando sovoz contra la vecindad y autoridades de Ávila.

19

El día en que el príncipe Juan, a la corta edad de diez meses, fue jurado príncipe de Asturias por la nobleza, la clerecía, los maestres de las órdenes militares, caballeros, canónigos de Santa María y demás gentes de alta cuna, doña Isabel padeció opresión en el pecho, y no fue de emoción, no.

Fue que, reunidas las Cortes en el Alcázar de Toledo, en los escabeles ocupados por la nobleza de Castilla, en concreto, en el trigésimo nono, cuadragésimo y cuadragésimo primo estaban sentadas las tres marquesas de Alta Iglesia, doña Gracia, doña Leonor y doña Juana por este orden, y en algún lugar de la sala del trono, aunque Isabel no la había visto con sus ojos, sentía con sus sentidos a la moza pueblerina que había estado con las mancas y ella proclamando, las primeras, al malogrado rey de Ávila hacía ahora muchos años.

Y como en otras ocasiones, se le ponía el corazón en un puño y respiraba mal, tanto que hasta su señor esposo se apercibió del hecho y le preguntó con semblante preocupado:

—¿Qué os pasa?

Y ella negó con la cabeza y respondió:

—Es la emoción, don Fernando.

Pero no era emoción, no. Y se dijo lo que se decía siempre

que se juntaban las cuatro, porque no le cabía ninguna duda de que la aldeana o menestrala, lo que fuere, andaba por allí como ya venía sucediendo en todos los grandes acontecimientos, como si las cuatro mujeres tuvieren que estar juntas en lo grande que ocurriera en el reino.

Y tan pronto le venía miedo por aquel extraño hecho, como le quitaba importancia; es decir, lo mismo que otras veces. Ah, pero esta vez no, no dejaría pasar la ocasión. Reuniría a las marquesas y a la mujer del vulgo y les hablaría de lo que le sucedía, por ver qué le decían ellas, por ver si les ocurría otro tanto o era negocio de su imaginación.

Cierto que era cuestión delicada decirle a doña Clara que convocara a las tres juntas, más que nada por la moza, pues las damas bien podían ir a verla porque las llamara para devolverles el castillo y villa de Alta Iglesia que arrebatara el rey Fernando, poco después de la batalla de Toro, a los ladrones que lo tenían desde tiempos de don Enrique, o porque ellas quisieran decirle alguna cosa, dado su alto linaje, pero la moza otro negocio era. A ver, ¿por qué llamar precisamente a ella? ¿Cómo enterarse de su nombre y de su oficio sin levantar sospechas? ¿Qué le diría a su madrina, cuando sus damas le servían en lo grande y en lo menudo con dedicación y anhelo e no necesitaba gente de fuera? ¿E cómo llamar a las mancas y dejar a la bisabuela en casa sin hacerle desaire? ¡Oh, oh, qué habría de pensar! Pero lo quería resolver presto, en razón de que su marido y ella habían de viajar a Aragón para que el príncipe Juan fuera jurado príncipe de Gerona y ya estuviere todo atado y bien atado.

En los bailes y en los juegos que se celebraban en Toledo por la feliz ocasión, doña Isabel se topaba con las marquesas, ora en el patio de armas del Alcázar bajando de las andas en las que se hacían llevar de un sitio a otro, ora en el baile o por las calles de la ciudad, e la saludaban con una reverencia, pero en aquellos lugares no se encontraba con la rústica. Cierto que una tarde corría cañas don Fernando, el mejor de todos los caballeros en arrojar el bofordo, en la plaza de Zocodover e derribaba uno, dos y hasta tres tablados seguidos, recibiendo de las gentes vítores, e doña Isabel, que presidía los juegos desde una tribuna con varios nobles y los veinticuatro de la ciudad, observó a la moza que pasaba cerca. E fue que la rústica la miró a los ojos y ella también, e que cruzaron reina y vasalla la mirada, una mirada dulce, dulce, como si se hubieran causado arrebato. E resultó que la menestrala, o lo que fuere, anduvo unos pasos con la cabeza vuelta para verla más tiempo, y que la reina no le hubiera quitado la mirada de encima nunca en la vida, pues que notó una ligazón con ella, que no angustia, que esta vez no fue angustia. Y se decidió:

—¿Ves a aquella mujer, doña Clara?

—Sí, alteza.

—Dile a don Gonzalo que mañana me la traiga a mi habitación después de misa.

—¿Esa moza de la saya bermeja?

—¡Sí!

—¿Para qué la quieres, Isabel? Perdone su alteza, quiero decir ¿para qué la quiere su alteza?

—¡Déjame, que deseo platicar con ella!

—¿Con ella precisamente u os sirve otra cualquiera?

—Aquella, doña Clara; quiero preguntarle si estuvo conmigo en la proclamación del rey de Ávila… Tengo para mí que es la misma.

—Os recuerdo, alteza, que mañana a la mañana tenéis vistas con las marquesas de Alta Iglesia, que vienen a recibir el castillo y villa del mismo nombre, que les tenían arrebatados los ladrones que ahorcó el rey Fernando…

—¡Ah!

—¿Dejo lo de la menestrala para otro día?

—¡No, no, recibiré a las cuatro! ¡Es casualidad, pero las marquesas también estuvieron conmigo en la entronización de mi hermano!

E así las cosas, con la ocasión a la mano, doña Isabel no durmió porque por fin al día siguiente, y con ayuda de Dios, quizá esclareciera aquel misterio del ahogo que le venía cuando se juntaban las cuatro mujeres desde la llamada farsa de Ávila.

Doña Gracia Téllez, recibida invitación de los señores reyes para asistir a la proclamación del príncipe don Juan, había mandado hacer los baúles y, sin echar a faltar el diente que se le había caído o acostumbrada ya a andar por el mundo sin él, tapándose los labios con la mano, se había presentado en la ciudad de Toledo con sus bisnietas y las esclavas moras, dejando a Catalina de guardiana de la casa, pues que estaba aquejada de recio resfriado.

Sus familiares la siguieron a regañadientes, en razón de que Leonor andaba otra vez con el pergamino de la capilla y Juana, tras entrar en hablas con la abadesa de Santa Clara de Tordesillas y ser admitida para profesar en aquella santa casa, rezaba, recogida en sí misma, y se preparaba para ingresar el 11 de agosto próximo veniente, día de Santa Clara, en el monasterio. No obstante, dejaron sus labores y la acompañaron.

Llegaron unos días antes de la celebración e los aposentadores de los monarcas las alojaron en el Alcázar con otros nobles señores. E iban y venían por la ciudad, calle arriba, calle abajo, que en Toledo, ya se sabe, costanas por todas partes. Del Alcázar a la catedral, de la catedral al Miradero para ver todo bien, que había mucho que ver de los romanos, de los godos y de los moros. E fue que doña Gracia, que era muy anciana pues había nacido con el siglo, se indispuso, le vino calentura, una calentura muy mala, según el médico judío que la visitó, que le aplicó varios remedios sin atinar con ninguno.

E fue que Marian, que había empezado a rezar al señor Alá por el alma de la bisabuela pues que el galeno no daba una blanca por su vida, un viernes por la tarde, regresando de la mezquita, se topó con María de Abando y, claro, se detuvo a platicar con ella y le preguntó de inmediato por Juanico, pues que había criado a su madre y se lo pedía a gritos su corazón:

—Por ventura, María ¿qué haces aquí? Y el hijo de Leonor ¿dónde está?

—He venido por cambiar de aires. Lo he dejado en Ávila con una buena mujer…

—¡Qué pena! Lo que no sabes es que doña Gracia está muy enferma, padece calentura…

—Cosa mala a su edad; si quieres iré a verla…

—¡Ven, ven conmigo!

—¿Qué señales tiene doña Gracia?

—Está amuermada, no habla, tiene la cara roja, e le arde la frente; a más no come, no quiere tomar ni caldo… Le hemos ido a buscar aguas curativas a las fuentes de varias iglesias y a la de una sultana mora que hay santa en una almunia cercana, e le damos poco a poco, a cucharetas, pero no mejora… No lo quiera Dios, pero me da mala espina.

—¡Ea, vamos, pues!

Platicando, llegaron al Alcázar. E entraron por la puerta de servicio, e andaban por los corredores evitando a las gentes, pidiendo paso, subiendo y bajando escaleras, atravesando patios y pasillos y, por fin, llamó Marian a una puerta. Primero, a la de las gemelas e, como no había nadie, hizo otro tanto en la de la anciana. Le abrió Wafa, que se sorprendió sobremanera al ver la compañía que traía su amiga, y no pudo dejar de exclamar:

—¡Oh, por Alá Todopoderoso, es María!

Llamando la atención de las tres marquesas. E fue que Juana dejó de escribir, se le cayó el cálamo de la mano y echó un borrón en el papel. E fue que la anciana alzó la cabeza e sonrió, pese a que estaba muy enferma. E fue que Leonor quedóse pasmada de ver a la ensalmera.

—Disculpen las señoras, Marian me ha pedido que venga a ver a doña Gracia...

E Juana comenzó a musitar a oídos de su hermana lo mismo que le había dicho en las dos ocasiones que había visto a María:

—No debiste darle el niño.

—No me lo podía quedar, tú tampoco... ¿No te vas a las Clarisas?

—Tal vez hubiera podido llegar a un pacto con Martín...

—¡Pues no haber vivido enjaulada! ¿Quieres que te recuerde que me dejaste sola durante más de tres meses?

—¡Sola no, estuviste en muy buena compañía!

—¡Ea, no discutan sus mercedes, que nunca lo han hecho! —intervino la bisabuela, volviendo a levantar la cabeza.

Pero las hermanas continuaban:

—No entiendo, Leonor, cómo no te importa el niño.

—Mi antiguo marido me violentó como si fuera una aldeana... Yo así no quería...

—Hubieras podido considerar ese hecho tan denostable un accidente, apuesto que a casi todas las casadas les sucede lo mismo, y perdonar...

—Yo no perdono a un bárbaro de mal solaz...

—No comprendo cómo no se te revuelve el corazón...

—¿Tú qué pardiez sabes lo que sucede en mi corazón?

—Estás ciega con el dichoso tesoro...

—Y tú con Dios.

—¿Dó está el hijo de Leonor? —preguntó Juana cambiando de conversación, y María respondió:

—Mi hijo está en Ávila, bien cuidado —y se guardó muy mucho de decir que estaba en casa dellas y que había tenido que salir huyendo de la ciudad encarnada en ave o en abejorro, que ni ella lo sabía.

Cuando las marquesas dejaron de porfiar, María examinó a la anciana, dijo que padecía una fiebre altísima e rebuscó en su morral. Sacó unas hierbas y echó a faltar otras, e quiso enviar a la mora Wafa a buscar hojas de sauce. E iba a salir la mora, pero Leonor suscitó una cuestión: si iba Wafa sola se perdería, pues no conocía la ciudad, e dijo que fuera Marian también, pero Juana avisó que doña Gracia tenía poco aliento, y fue María apriesa, apriesa, no fuera que las esclavas se confundieran de planta, pues no las conocían como ella, e hiciera una barbaridad.

Entre que María volvía y no volvía, pues que hubo de llegarse al río Tajo por la puente de San Martín, las marquesas estuvieron recriminándose entre ellas, por el niño. Y sólo se interrumpieron cuando llegó la curandera con las hojas, e poniendo un pucherico en la chimenea, esperó a que hirviera, echó un manojo, y a las pocas horas fue milagro. Doña Gracia abrió los ojos, movió las manos, habló, revivió, en fin, y al séptimo día se incorporó a los fastos cortesanos, mismamente como si hubiera resucitado. Pero en el entretanto sucedieron algunas cosas.

Cuando María abandonó las habitaciones de las Téllez, fue abordada por un oficial de la reina que dijo llamarse Gonzalo Chacón, e se asustó como no podía ser de otra manera, a más que ya llevaba mucho sobresalto en el cuerpo. Le preguntó su nombre y su oficio, y ella contestó, temblona la voz:

—Me llamo María de Abando e soy curandera.

Ante el pasmo del otro, añadió:

—También leo las suertes, pero no hago magias contra la santa religión…

—La reina doña Isabel quiere verte mañana a las diez… Te presentas en la puerta grande y preguntas por mí…

—¿La reina desea verme?

—¡Sí, nuestra señora es mujer que habla con gente del común, que quiere saber de sus vasallos!

—¡Ay, Dios mío!

—¡No faltes o enviaré a los soldados a buscarte!

—¿Por qué quiere hablar la reina conmigo?

—Tómalo como una bendición de Dios… Muchos se darían con un canto en los dientes por ser recibidos…

—¡Lo que mande su merced!

E fuese a su posada y no durmió apenas porque tanto se preguntaba si doña Isabel, la reina, querría meterla presa o si sabría del inmenso favor que le había hecho el día de sus bodas y se lo querría agradecer.

Pero no, no, que era otra cosa.

20

El mismo día de las vistas con la reina, Leonor y Juana Téllez de Fonseca insistieron a la bisabuela en tratar de retrasar la audiencia que les había otorgado la señora para tornarles el marquesado de Alta Iglesia, a fin de que pudiera acompañarlas. Pero doña Gracia se negó, aduciendo que fueran a buscar lo que era dellas sin dilación, no fuera a suceder algo, algo malo en el ínterin, no fueran a arrepentirse los señores reyes de la devolución, pues los reyes, de siempre, se muestran mudables a la hora de dar. A más, que no habían recibido una blanca del señorío en toda su existencia y que tiempo era de cobrar lo que era suyo, de oficiar de señoras de trescientos vasallos y de recibir el homenaje de los mismos:

—Id, hijas, no os demoréis, que las rentas de trescientos siervos suponen más de un millón de maravedís al año... Id por lo vuestro...

E la dama no consintió otra cosa e las despidió muy contenta, y lo que dijo a Wafa:

—Ya es hora de que mis nietas hagan cosas por su cuenta y vayan sin mí por el mundo, porque me moriré presto además...

—A la señora le queda mucha vida...

—No, Wafa, hasta es posible que con casi ochenta años sea la mujer más anciana de Castilla toda…

Cuando llegó Gonzalo Chacón a buscar a las marquesas, éstas ya estaban ricamente aviadas con los vestidos de sus bodas, pintadas de cara, con rojete en las mejillas, bellas en fin. Siguieron al mayordomo por los pasillos, subieron y bajaron escaleras, siendo miradas por unos y por otros, por la multitud de cortesanos que pululaban por allí. Llegaban a los aposentos de doña Isabel, situados en una de las torres cuando, de súbito, salió el rey Fernando de una habitación. Chacón se detuvo en seco y se inclinó, ellas también le hicieron una graciosa reverencia, de las que les había enseñado a hacer la bisabuela, y el monarca saludó con la cabeza, las miró a los ojos por un instante, y fuese luego a donde fuere con su compaña de secretarios, seguido también de sus bufones, que lo habían estado esperando a la puerta de sus aposentos. A gusto hubieran estado un poquico las marquesas observando a aquella tropa vocinglera de seres deformes, unos enanos, otros altos y desgarbados, otros tullidos como ellas, pero rientes todos, pero les fue imposible porque Chacón volvió la cabeza llamándolas para que continuaran la marcha por pasillos y más pasillos.

Llegados al salón, el oficial indicó asiento a las marquesas, e en esto se presentó una mayordoma que dijo llamarse doña Clara Alvarnáez, de la que ellas ya habían oído hablar abundantemente pues no se separaba de la reina, y les explicó que la señora estaba acabando de oír misa y que las atendería en breve. Y, en efecto, se escuchaba cantar el *Salve Regina* a los muchachos de la escolanía, y en esto, ay, que las damas vieron a María de Abando, muy ataviada con un vestido de brocado, que la traía un oficial y no le daba silla, sino que la dejaba de pie, en un rincón, e le hubieran preguntado de grado qué hacía allí, pero se presentó doña Clara y las hizo pasar a otra estancia donde las esperaba doña Isabel ya sentada en una pequeña cátedra.

Las marquesas a un gesto de la reina avanzaron, se arrodillaron y besaron la mano de la soberana, que las hizo sentar a su lado, e sacó de una arquilla que le acercaba doña Clara un pergamino muy rico y coloreado. Se lo entregó luego a las mancas, que lo cogieron cada una con la mano que tenía. E habló deste modo la gran dama:

—Mi señor el rey y nos, nos holgamos de poder devolver a vuesas señorías el castillo y villa de Alta Iglesia, pues que pertenecía a vuestra casa antes de la proclamación del rey de Ávila por merced de nuestros antepasados, para vosotras y para vuestros hijos, siempre que nos sirváis con la lealtad que lo han hecho vuestros predecesores...

—¡Alteza, es grande favor y beneficio lo que nos hacéis! —respondieron las damas al unísono. E fueron a levantarse para marcharse, pero la reina les indicó:

—¡Teneos, marquesas, que deseo hablar de un negocio con vuesas mercedes!

—Diga vuestra alteza, que estamos para servir a Dios y vos... —contestaron las gemelas a la par.

—¡Doña Clara —dijo—, haz entrar a esa dicha María, e déjanos solas!

La mayordoma salió rezongando pero sin decir una palabra, en razón de que ya había dicho bastante, pues ¿cómo recibir a las dos nobles y a la moza a solas?, ¿qué dirían las gentes de la Corte? El hecho correría por doquiera, suscitaría envidias, decires, suposiciones, maldecires, calumnias incluso. Mejor estuviera presente al menos ella, que se dejaría cortar la lengua antes que decir una palabra de aquello tan importante que la reina de Castilla y Aragón tenía que decir a dos marquesas y a una mujer del común, pues, ¿cómo, después de un montón de años, era posible que recordara que habían estado a su lado en la «farsa de Ávila» y quisiera preguntarles de aquello?

Entró María e quedóse pasmada de ver otra vez a las marquesas, tanto como ellas de su presencia. E se hizo un denso silencio en la habitación… E mejor, vive Dios, porque, como si se hubiera espesado el aire, las cuatro no hubieran podido articular palabra, pues comenzaron a respirar mal, no a asfixiarse, que sería exagerado, pero sí a sentir cierto ahogo, el mismo que sufrían cada vez que se juntaban. El mismo no, mayor, pues que estaban en lugar cerrado, donde es común que el aire se cargue. Pero no era la cargazón del aire no, era otra cosa…

Por fin habló la reina con la mano en la garganta, otro tanto las marquesas con su única mano, cada una en el pecho, e la María tocando las manitas del niño malparido de su antigua patrona que llevaba colgadas del cuello. E dijo Isabel con voz entrecortada, la que podía emitir en aquel momento, dirigiéndose primero a María:

—¿Eres tú la moza que estuvo con nosotras tres en el trono del rey de Ávila, el día de su proclamación?

—Sí, alteza, yo soy… Me llamo María.

—Lo sé… —y ya juntó las manos y habló a todas—. Tengo para mí que cuando estoy con vuesas mercedes respiro mal…

—Yo también, alteza.

—Y yo, señora.

—Y yo…

—He convocado a sus señorías y a esta María para que platiquemos y discurramos qué es aquesto. Deduzco por vuesas palabras que os sucede otro tanto a las tres, ¿qué decís?

—Yo lo he venido hablando con mi hermana —confirmó Leonor—. Desde la proclamación de vuestro señor hermano y en otros acontecimientos como en vuestra boda, en el entierro del rey Enrique, en vuestro ensalzamiento al trono y, ahora, en la jura de vuestro hijo el señor don Juan como príncipe de Asturias…

—Sí —abundó Juana—, doña Leonor y yo lo hemos comentado a menudo, pero dañoso no es. Nos separamos y se termina esta angustia, que mortal nunca ha sido; además, es pasajera…

—E tú, moza, ¿qué dices…?

—Señora, lo padezco como vos y estas damas… Lo sufrí antes y también al asomarme por la puerta del palacio donde las cortes proclamaban al príncipe, vuestro señor hijo, e quise catar en agua clara por ver qué sucedía, pero no lo hice, pues he estado ocupada. Pero grave no es…

—Grave no, es incluso llevadero.

—Oye, pues cata, María. Que cate María en agua clara —propuso Juana.

—¡Catar, catar, jamás! —se negó la reina—. ¡Yo no creo en agüeros!

—Yo tampoco —explicó Juana—, pero ya que ésta sabe catar, que cate…

—Por si nos da alguna luz —intervino Leonor.

—¡Ténganse sus señorías! —alzaba la soberana la voz—, que antes es menester que sepamos si tenemos algo en común…

—Dice bien su alteza —aseveró Juana.

—Las cuatro somos mujeres —aclaró María, y las otras la miraron a los ojos como diciendo ¡qué sandia!

—Nosotras, alteza, nacimos el mismo día que vos… El veintidós de abril de mil cuatrocientos cincuenta y uno… Nos lo hizo notar nuestra señora abuela ha tiempo ya.

—¡Oh, vive Dios! Por cierto, vuestra señora abuela ha estado delicada de salud, ¿se encuentra mejor?

—¡Oh, sí!

—¡Anda, yo también nací ese mismo día! —exclamó María.

—¡Ah!

—Y en el mismo año, en mil cuatrocientos cincuenta y uno.

—¡Oh!

—¡Esto es negocio de cavilar! —propuso Leonor.

—¡Es negocio de Dios! —sostuvo Juana.

—¡Aquí hay algún diablo! —atajó María de Abando.

—¿Un diablo?

—¡No lo quiera Dios!

—Ea, no saquen sus señorías las cosas de quicio… —templó la reina, santiguándose.

—El hecho de haber nacido las cuatro el mismo día nos une con ciertas ligazones —aseveró la ensalmera.

—¡Explícate! —exigieron las tres damas a la par.

—Algo hay.

—¿Qué?

—Las cuatro tenemos el mismo horóscopo…

—¿Cómo vamos a tener el mismo destino si doña Isabel es reina de Castilla y Aragón, mi hermana y yo marquesas y tú curandera o a saber si bruja? —cortó Leonor.

—¡No me llame doña Leonor bruja, que le llevo hechos varios importantes favores!

—Sanadora, lo que quieras llamarte…

—Las cuatro vinimos al mundo el veintidós de abril de mil cuatrocientos cincuenta y uno, pero ¿a qué hora nacisteis, señoras? —preguntó María, dejando la porfía que hubiera podido entablar con la marquesa.

—Yo, después de mediodía —dijo la reina.

—Nosotras también —hablaron las marquesas.

—Yo también —añadió María—. Sepan sus señorías que la luna llena de abril lucía espléndida, roja, roja, e que yo y, de consecuente, sus mercedes, nacimos bajo una luna que trae felicidades…

—¡Vaya felicidades que trae esa luna; mi hermana y yo vinimos mancas! —terció Juana con tristeza en la voz.

—A vuesas mercedes les comió un perro las manos, ¿no es eso lo que se dice?

—¡Es falso! Allí había mil criadas que no hubieran dejado acercarse a un perro al lecho de nuestra madre, ni menos que fuera dañino o desconocido… —explicó Leonor.

—Pues entraría alguno en un descuido dellas, hambriento además… ¿No trajisteis sangre en los brazos? —sostenía María de Abando con vehemencia. Pero las otras negaban con la cabeza:

—En el vientre de su madre no pudo sucederles nada a estas damas. Lo más posible es que se distrajeran las sirvientas y que, una vez nacidas, las hiriera un animal o un hombre, algún malvado, pues que dices que traían sangre fresca en el brazo —sostenía la reina.

—Oh, alteza, yo he visto nacer monstruos… Una niña con dos cabezas… Dos niños juntos imposibles de separar… —mentía María quizá para darse importancia, aunque oír lo había oído.

—Oye, ¿eres bruja? —preguntó la soberana a María.

—Yo, señora, hago ensalmos para sanar las imaginaciones que produce la mente, curo heridas de sangre, alivio enfermedades, cato en agua clara, vendo alegrías y amores, pero magias no hago, no.

—¿E cómo sabes lo de la luna roja de abril?

—Porque mirando el cielo en abril se ve la luna, alteza, espléndida, mucho más grande y luciente que en otras épocas del año…

—¿E los hijos de la luna roja de abril son bienaventurados?

—¡Sí, señora!

—¡Eres una embaucadora, María! ¿Cómo nosotras somos bienaventuradas?

—Lo sois. ¿No os han criado unas sirvientas que os han guardado de todo mal y que os quieren como a sus hijas? E cuando erais púberes, ¿no tornó de Italia vuestra señora abuela para encarrilaros la vida? A pesar de vuestra orfandad, ¿no habéis mantenido vuestros títulos de nobleza y dineros? ¿Vuestra manquedad os impide ir por el mundo con la cabeza bien alta? ¿Habéis pasado hambre alguna vez? ¿No? Pues sois muy afortunadas, señoras…

—E yo, María, ¿soy afortunada? —demandó la reina.

—Mucho, alteza, mucho… ¿Qué hombre o mujer daba una higa, y perdonad, porque vos ocupaseis el trono? Sois reina de Castilla y Aragón… Tenéis dos hijos, un marido que os ama y os respeta y un pueblo que rompe en vítores a vuestro paso…

—¡Es cierto lo que dice María! —sostuvo con viveza la soberana, y las marquesas se guardaron de contradecir tal aseveración.

Y volvió a hacerse un silencio en el aposento que rompió Juana:

—Alteza, yo ya respiro bien, se me ha retirado el ansia…

—¡Ahora que lo dices, yo también!

—¡Oh, sí!

—Lo que nos pasa, lo de la angustia, nos sucede en un primer momento, luego se va… A más, yo me encuentro muy a gusto con vuesas mercedes, aunque sea plebeya e no merezca estar aquí… —largó María, que hablaba más que ninguna.

—¡Par Dios, es cierto!

Y estaban tan plácidamente las cuatro juntas que pasaban las horas y era tiempo de almorzar, y a doña Clara se la llevaban los demonios en la antesala, a más que estaba dolida con la reina porque, por primera vez, tenía un secreto para con ella.

Las hijas de la luna roja mantenían animada plática, muy albriciadas, constatando que se les había ido la angustia y que no les volvía. Las marquesas insistiendo en que catara María. La ensalmera, haciéndose valer por ver si le daban aquellas damas algún dinero —unas decenas de maravedís, pues que como mujer de oficio llevaba lo de cobrar muy imbuido en la sesera—, sostenía que los miércoles era menester hacer agüero entre las cinco y las siete de la tarde para que saliera bien el negocio. La reina negándose a cualquier asunto que tuviera que ver con la magia, ni blanca que fuere, y aseverando que los astros nada tienen que ver con el nacimiento de las personas, que la ligazón que tenían las cuatro se debía a otra cosa, sin saber qué nombre ponerle. Y las cuatro conviniendo en que aquello, lo del ahogo, no se podía sacar de allí, de tal manera que se juramentaron para no decir palabra ni consultar a sabios ni a nigromantes, entre otras razones porque allí había ya una sortera.

231

Y es que María hablaba la que más, y aseguraba que echaba las suertes, las habas, e decía de compararse las cuatro por ver si físicamente tenían similitudes; por eso se pusieron todas frente a un espejo.

E, bueno, resultó que la reina, Leonor y María tenían la misma altura y complexión; Juana no, que era medio palmo más baja y más menuda. E la cara, Juana la tenía afilada e Isabel, Leonor y María gordezuela y cada vez más mofletuda, conforme avanzaban en edad. E las manos, las de las nobles cuidadas y finas, las de María de palma amplia como mujer de oficio que era. E los ojos, los de Isabel verdiazules y bellísimos, los de las marquesas color avellana y más bien chicos, y los de María negros y rientes como luceros.

E sí, sí, pero las damas le preguntaban a María:

—¿Y qué?

Y ella, que no sabía qué decir, pretendía leerles las rayas de la mano. Pero doña Isabel se negaba, aduciendo que en la palma de la mano se leía el porvenir, y que allí no iban a encontrar lo que buscaban pues que pertenecía al pasado, al momento en que nacieron quizá, e quería que María les hablara de la luna roja de abril.

Pero en esto, María tomó la mano izquierda de Leonor, la única que tenía, e le dijo que tenía las rayas muy limpias y que podría hacer buen augurio. De la línea de la vida le aseguró que sería longeva; de la de la cabeza que era mujer empecinada, que su vida estaba a punto de cambiar favorablemente y que se encontraría con gratas sorpresas en poco tiempo. Silenció que tendría presto algunos quebraderos de cabeza y, al verle la línea del corazón, le vaticinó que la esperaba un amor profundo.

La dama se quedó suspensa, esperando la reacción de la reina, que no comentó nada, pero que no quería saber su porvenir, pues se recogió las manos en la saya. Juana, ante la actitud de la soberana, quedóse con ganas de conocer el suyo. Pero

Leonor, todavía con la palma extendida, le preguntó dónde veía tanta cosa, y la quiromante le señaló la eme y los montes de la mano, ora debajo del dedo índice, ora del meñique, ora la línea que llamaba del corazón e le indicó puntitos rojos y blancos o crucecitas o lo que llamaba cadenetas.

El caso es que las cuatro mujeres disfrutaban estando juntas, la reina sin acordarse del almuerzo, hasta que cerca de las tres llamó doña Clara pidiendo licencia para servirlo, e doña Isabel dio silla a todas en su mesa, incluida a su madrina, y comieron las cuatro hijas de la luna roja y la mayordoma. Claro que la conversación decayó, se tornó convencional, pues ninguna abordó el tema que las había unido. Terminado el condumio, doña Clara, como la reina no le decía que se quedara y no les decía a las otras que se fueran, retiróse con los domésticos que habían servido la mesa más amohinada de lo que había venido.

Ya metidas en harina, continuaron las hijas de la luna roja un tiempo más, esperando que dieran las cinco para que María catara en agua de beber, sin haber padecido ansia ninguna desde la mañana, platicando de buena gana, a gusto entre ellas, como si se conocieran de toda la vida y tuvieran amistad. Las nobles sin tener en cuenta la rusticidad de María, María sin amilanarse ante las nobles.

E sonaron las cinco de la tarde en un reloj de figuritas doradas que había en la habitación sobre la chimenea, e la ensalmera pidió un vaso de agua, que se lo sirvió Juana de una jarra que había sobre una mesa. Acercóse la moza a la ventana e encomendóse a quien se encomendare, que no a Dios o sus Santos. Bien seguro lo tuvo Isabel que, como aborrecía agüeros y a agoreros, tuvo miedo de que, de repente, saliera un demonio del vaso o vaya vuesa merced a saber. El caso es que la María, tras revolver en su talego, se llevó algo a la boca y rezó unas letanías, elevando la voz cuando mentaba a Nuestra Señora y a los santos Pedro y Juan, pues que debía querer que la oyeran, e así las cosas, tras marcar un círculo invisible en el suelo, sentóse dentro.

A poco entró en trance, o tal creyeron las damas, aunque bien podía estar engañándolas, e babeó e echó espuma por la boca, poca, la que le caía por la comisura de los labios, pero para entonces ya estaban las otras temblonas. La reina a punto de acabar con aquel disparate, arrepentida de haberlo permitido porque habría de confesarlo a fray Hernando, y la abroncaría, que su capellán no paraba en barras ni con la soberana de Castilla, y eso. Pero la bruja, que bruja era, pues de otro modo no haría lo que estaba haciendo, se sacó lo que llevara en la boca, una hoja de árbol o arbusto, e tornó al mundo lloriqueando y, por supuesto, pasmando a sus mirantes, que abrieron unos ojos como platos, las tres, las tres. E dijo con voz cavernosa, la que se tiene cuando se está en una dificultad:

—He visto mi nacimiento y no puedo menos que llorar, señoras mías, pues que a mi madre le sorprendió su parto lejos de casa en una campa e quiso salvarme, pero falleció desangrada a la vista de un perro, que no había por allí alma viviente...

Las otras exclamaron apesadumbradas:

—¡Dios!

E, como la catadora parecía dispuesta a continuar con los nacimientos de las demás, pues que cerró los ojos y a punto estuvo de meterse la hoja en la boca, doña Isabel interrumpió aquello diciendo:

—No queremos que nos hables de nuestros nacimientos, sino de la luna, de esa luna roja que has dicho estaba en el firmamento a la hora en que nacimos.

Que no, no quería saber cómo había sido su venida al mundo, que fue mala, pues era voz común que las pariciones de las mujeres de la casa de Avís eran largas, a más que su señora madre se alunó hasta perder el seso, e no deseaba conocer a la menuda aquella desgracia.

María, un tantico contrariada, volvió a catar en el vaso de agua clara e dijo con voz solemne:

—Cuando nacimos el sol se hundía por el oeste, rojo… La luna se alzaba por el este, llena, hermosísima, roja, roja…

—¿Eso es todo? —demandó Leonor.

—Todos los días sucede semejante, María —intervino Juana.

—El día veintidós de abril de mil cuatrocientos cincuenta y uno era Jueves Santo, de consecuente, la luna estaba llena o casi llena o iniciando ya el cuarto menguante —informó la reina, porque la Pascua es el primer domingo después del plenilunio de primavera.

—¿E no nos dices más, María? ¿Qué planetas lucían, qué estrellas?

—La luna estaba tan roja y tan enorme que tapaba todo… No veo nada más.

—¿Bueno y qué?

—¿Qué pasa con esa luna roja?

—Que reparte felicidades.

—¡Vaya!

—Si lo desean sus mercedes hago horóscopo.

—No, yo ni quiero ni creo —adujo doña Isabel.

—¿Cómo vas a hacer horóscopo si se necesita manejar números e instrumentos e tener mucha ciencia en la sesera? ¿Acaso sabes leer y escribir?

—No.

—Mi madre —cortó la reina— me dijo varias veces que el día que yo nací había luna llena, roja además.

—A nosotras no nos dijeron nada, pues hubo mucho revuelo en la habitación de nuestra madre e las criadas no pudieron mirar por la ventana.

—A mí tampoco me dijo nada mi madre putativa, porque me recogió entre las sayas de mi madre verdadera al día siguiente…

—¡Oh!

—Pero puedo asegurar que aquel día se abrieron las rosas y los lirios…

—Oye, María, ¿no serás una camandulera?

—No, señora Leonor, no. Lo he visto en el agua de beber. Además, en esta conversación, a la que he sido llamada por su alteza la señora reina Isabel, se busca desenlace para lo que nos sucede, lo del ahogo, cuando estamos juntas las cuatro. Yo he contribuido con lo de la luna roja, e podría encontrar otros puntos de unión entre nosotras si sus mercedes me dejaran hacer a mi arbitrio… Vuesas señorías no han dicho nada; que no se torne entonces contra mí mi aportación… E que no me llame camandulera la dama Leonor, que le hecho varios servicios a satisfacción, ¿o no?

—Tiene razón la moza, ténganse las damas —atajó la reina.

—Es cierto. Es la única que ha dado una posible explicación. E no ofendas a María, hermana —rogó Juana.

—Yo no sé si merece la pena hablar tanto desto, porque malo no es —se defendió Leonor.

—Es muy bello que seamos hijas de la luna roja de abril de mil cuatrocientos cincuenta y uno y que aquel día nacieran los lirios y las rosas, y un honor que entre nosotras se encuentre la reina doña Isabel —sentenció Juana, y las otras asintieron.

—Pero no es nexo de unión —atacó Leonor—, porque nuestra señora nació reina, nosotras marquesas y mancas, y María mujer del común… De consecuente, lo de la luna roja es casualidad, que no nexo… A más, que tenemos unas vidas diferentes…

—La vida es personal y única —adujo Juana.

—No me interrumpas, hermana… Acaso estemos unidas en la muerte…

—¡No mientes la muerte, par Dios, hermana!

—Que estamos de regocijo —atajó doña Isabel, y dio las manos a todas.

—Si me permite vuestra alteza, estaba yo —dijo Leonor frenando las alegrías— hablando de que tenemos vidas diferentes… La reina, de reina, Juana profesa presto en religión en las Clarisas, María es sanadora… La reina tiene dos hijos, María uno, nosotras ninguno, e no tendremos porque yo no me volveré a casar después de mi desastroso matrimonio, e mi hermana tampoco porque se entra monja…

Se hizo un silencio en el aposento… Aunque doña Isabel a gusto hubiera preguntado a doña Leonor por su desastroso matrimonio y a doña Juana otro tanto, pues si se entraba monja por algo sería, y a María el oficio de su marido… Aunque María hubiera rebatido las falsas aseveraciones de Leonor y tal vez dicho que su hijo era de quien era… Aunque Leonor, observando a la encantadora, tan segura de sí y tan sabida, quizá le hubiera preguntado si era capaz de encontrar tesoros, por lo del cofre de don Tello, que tenía mucho empeño en hallarlo… Aunque Juana posiblemente le hubiera dejado catar en el agua clara las vidas de todas, pero el caso es que se callaron unas y otras.

La soberana miró el reloj de la chimenea e indicó que se había hecho tarde. Dijo que cada una pensara en el asunto y de juntarse otra vez cuando regresara de Aragón para hablar del tema, haciendo hincapié en que lo del ahogo, angustia o sofoco, llámese como se llame, aunque fuera a cuatro, grave no era, cierto que un poco molesto sí, negocio en el que ya habían convenido todas con anterioridad. E dio las manos a besar a sus vasallas, que se despidieron della arrodillándose e con pena en el corazón, pues que habían sido honradas por la principal señora de Castilla y Aragón, que más alto la Virgen María, e habían disfrutado.

E la reina asonó una campanilla y entró don Gonzalo Chacón e acompañó a las marquesas a sus aposentos y a la María a la salida del Alcázar. El mayordomo besó las manos a las señoras e despidiólas en la puerta de sus habitaciones con una gentil reverencia. La misma que le hizo a la moza cuando la dejó en el portón principal, asombrando a los soldados de la guardia, que se preguntaron quién sería aquella mujer. E también las gemelas pasmaron a caballeros y nobles y suscitaron envidia cuando recorrieron los largos pasillos, pues días después les

237

llegaron comentarios de que doña Isabel las protegía. E, vaya, que como el personal indagó sobre ellas, se supo que se habían separado de sus maridos, que Juana y su esposo se entraban monja y fraile, respectivamente, y cayó el oprobio sobre el esposo de Leonor, que hubo de abandonar la Corte por un tiempo y refugiarse en Segovia con su hermano el obispo, porque lo miraba todo el mundo, del pinche de las cocinas al rey Fernando, con sorna.

A los pocos días doña Isabel partióse de Toledo camino de Medina del Campo con una gran comitiva, para luego ir a los reinos de su esposo. Los cortesanos y las muchas gentes que la habían servido y acompañado durante su estadía en la ciudad volvieron a sus predios.

Así que, no de otra manera, se separaron las hijas de la luna roja, a la espera de las aventuras que Dios quisiera depararles en los años venideros, cuando los campos sembrados empezaron a dar sus frutos...

(Continuará.)

L . H - C